Contents

Unit **1** is about introducing yourself and others and greeting people. By the end of this unit, you will know how to:

- introduce yourself
- introduce someone else
- ask and give information about yourself and others

¡Hola, buenos días!

Word Bank

el apellido	*last name*	No hay de qué.	*You're welcome.*
la avenida	*avenue*	No.	*No.*
Buenas tardes.	*Good afternoon./ Good evening.*	el nombre	*name*
Buenos días.	*Good morning.*	el número (de teléfono)	*(telephone) number*
la calle	*street*	Por favor.	*Please.*
¿Cuál?	*What?/Which?*	el Sr. (señor)	*Mr.*
De nada.	*You're welcome.*	la Sra. (señora)	*Mrs./Ms.*
la dirección	*address*	la Srta. (señorita)	*Miss*
¿Dónde?	*Where?*	Sí.	*Yes.*
en	*in, on*	su	*your (formal)/his/her*
Gracias.	*Thank you.*	el teléfono	*telephone*
mi	*my*	Un momento.	*A moment.*
Muchas gracias.	*Thank you very much.*	usted	*you (formal)*

¿Su nombre, por favor?

Introducing yourself

RECORDING

1. *Sr. Martín has arrived at an international conference. He registers at the reception desk. Listen to the dialogue. Where does Sr. Martín come from and what is his address? Look at the Word Bank for help.*

¿Su apellido, por favor?	Your last name, please?
Soy el señor...	I'm Mr...
¿De dónde es usted?	Where are you from?
Soy de...	I'm from...
¿Cuál es su dirección?	What is your address?
Vivo en...	I live at...

RECORDING

2. *Two more people arrive at the conference and register. Read and complete the registration form with their information.*

¿Cómo se llama usted?	What's your name?
Me llamo...	My name is..., I'm called...
¿Es usted de...?	Are you from...?
¿Dónde vive?	Where do you live?

3. *Sra. López has also arrived at the reception desk, and introduces herself. Fill in the blanks.*

Me _____ Antonia López, _____ de Madrid. _____ en Barcelona. _____ dirección _____ avenida Las Fuentes, _____ veintiocho. Mi número de teléfono _____ el 555-99-32.

CONFERENCIA

ECONOMÍA INTERNACIONAL

Nombre: _____

Apellidos: _____

Dirección: _____

_____

_____

_____

_____

4. *Now write a similar note about yourself and fill in your form for the conference.*

RECORDING

5. *The receptionist asks Sr. Martín for his telephone number. Listen and repeat the numbers from 0 to 15.*

0	cero	4	cuatro	8	ocho	12	doce
1	uno	5	cinco	9	nueve	13	trece
2	dos	6	seis	10	diez	14	catorce
3	tres	7	siete	11	once	15	quince

RECORDING

6. *Listen to Sr. Martín, Sr. García, and Sr. Vega giving their telephone numbers and write them down in your diary.*

Your turn

RECORDING

You arrive at the conference and go to the reception desk. Greet the receptionist and tell her your name, where you come from, your address, and your telephone number.

Close up

*The infinitive of the verb "to be" in Spanish is **ser**. The first person singular is **(yo) soy** (I am), and the second person formal which is the same as the third person is **(usted, él/ella) es**, (you, he, she is).*

***Vivir** is the infinitive of the verb "to live" and the first person is **(yo) vivo** (I live). The second person formal which also corresponds to the third, is **(usted, él/ella) vive** (you, he, she lives).*

*The definite article "the" is **el** for masculine singular, and **la** for feminine singular.*

Gente y lugares

People and places

Word Bank

Argentina	*Argentina*	inglés/inglesa	*English*
Australia	*Australia*	Londres	*London*
la ciudad	*city*	Madrid	*Madrid*
Ciudad de México	*Mexico City*	mexicano/a	*Mexican*
Colombia	*Colombia*	México	*Mexico*
Encantado/a.	*Pleased to meet you.*	Mucho gusto.	*Pleased to meet you.*
escocés/escocesa	*Scottish*	la mujer	*woman, wife*
España	*Spain*	la nacionalidad	*nationality*
español/a	*Spanish*	nosotros/as	*we*
Estados Unidos	*United States*	Nueva York	*New York*
estadounidense	*from the USA*	Perdone./Perdona.	*Sorry. Excuse me.*
éste/ésta	*this*	pero	*but*
la familia	*family*	¿Qué?	*What?*
francés/francesa	*French*	¿Quién?	*Who?*
Francia	*France*	Sevilla	*Seville*
galés/galesa	*Welsh*	también	*also, as well*
la hija	*daughter*	tú	*you*
el hijo	*son*	tu	*your*
Hola.	*Hi.*	¡Vale!	*OK!*
la hora	*hour (time)*	y	*and*
Inglaterra	*England*		

1. *Sr. and Sra. Pérez are on vacation with their son Pedro. They meet Sr. Rodríguez. Listen to the dialogue and connect the person with the expressions they use to greet each other.*

DidYouKnow?

In Spanish we have two ways of saying "you": usted and tú. **Usted** *is used in formal situations or when addressing someone you don't know, except for children or younger people.* **Tú** *is a familiar and more informal form, used with children, family, and friends. In some cases you might be invited to use tú by the person you are addressing.*

In parts of Latin America only usted is used even in informal situations among family and friends.

1. Sr. Pérez	a. Mucho gusto.
2. Sra. Pérez	b. Encantado.
3. Sr. Rodríguez	c. Hola, buenas tardes.
4. Pedro	d. Encantada.

Listen to the second part of the conversation again. Are the following statements true or false?

a. El Sr. Pérez es inglés.

b. El Sr. y la Sra. Pérez son de Madrid.

c. El Sr. y la Sra. Rodríguez viven en Madrid.

d. La Sra. Pérez es inglesa.

e. El Sr. y la Sra. Pérez viven en Madrid.

f. Pedro es de Barcelona.

¿Qué tal?	*How are you?*
Le presento a . . .	*Let me introduce you to . . .*

2. *Listen to Sr. Marcos introducing various people to you. Greet them in the way you think is correct.*

Introduce the following people also using the various forms you know: **el señor Martínez, la señorita Ruiz, mi hijo Juan, la señora Garcés, mi hija Isabel, mi mujer Ana.**

3. *Look at the names of the following countries and connect them with the correct nationalities and cities.*

Example: España—español—Madrid

Países	Nacionalidades	Ciudades
Inglaterra	colombiano/a	Sydney
Francia	estadounidense	Glasgow
Estados Unidos	irlandés/irlandesa	Ciudad de México
México	australiano/a	Bogotá
Australia	argentino/a	Londres
Colombia	inglés/inglesa	Buenos Aires
Argentina	mexicano/a	Dublín
Escocia	galés/galesa	París
Gales	escocés/escocesa	Nueva York
Irlanda	francés/francesa	Cardiff

4.

Pedro meets María, Sr. Rodríguez's daughter. Listen to their conversation and answer the questions with María, Pedro, or both.

1. ¿Quién es de Sevilla?

2. ¿Quién es de Barcelona?

3. ¿Quién vive en Madrid?

Now read the diaries. Only one has Pedro's correct address and phone number. Which one is it?

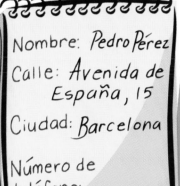

Nombre: Pedro Pérez
Calle: Avenida de España, 15
Ciudad: Barcelona
Número de teléfono: 555-75-01

Nombre: Pedro Pérez
Calle: Plaza de España, 15
Ciudad: Madrid
Número de teléfono: 555-15-10

Nombre: Pedro Pérez
Calle: Plaza de Barcelona
Ciudad: Madrid
Número de teléfono: 555-70-31

¿Cómo te llamas?	What's your name? (familiar)
¿De dónde eres?	Where are you from? (familiar)
¿Y tú?	And you?
¿Ah, sí?	Oh, yes?
¿Cuál es tu...?	What's your...? (familiar)
¿Qué hora es?	What's the time?
No sé.	I don't know.
¡Son las diez!	It's ten o'clock!

5. *The following is the way the time is said in Spanish. The question is:* **¿Qué hora es?** *What time is it? What is the answer?*

¿Qué hora es?

Es la una.	Son las dos.
Son las tres.	Son las cuatro.
Son las cinco.	Son las seis.
Son las siete.	Son las ocho.
Son las nueve.	Son las diez.
Son las once.	Son las doce.

To emphasize the fact that it's the exact time, add **en punto** *(o'clock), but it's not necessary to say it. Look at the watch above:* **¿Qué hora es? Son las nueve en punto.**

Now match the time with the clocks. Note: **son las dos, las tres,** *and so on, but* **es la una.**

a.m.   p.m.   p.m.   a.m.

_____   _____   _____   _____

Look at other times. Listen and repeat:

6:30   Son las seis y media.   8:20   Son las ocho y veinte.

2:15   Son las dos y cuarto.   1:35   Son las dos menos veinticinco.

4:05   Son las cuatro y cinco.   11:45   Son las doce menos cuarto.

5:10   Son las cinco y diez.   10:50   Son las once menos diez.

If it's A.M. in Spanish add **de la mañana.** *If it's P.M. add* **de la tarde** *(afternoon and evening) or* **de la noche** *(late evening and night). Try to say the following times in Spanish:*

7:30 P.M.	10:45 A.M.	1:25 P.M.
9:25 A.M.	12:40 P.M	8:15 A.M.
4:35 P.M.	6:55 A.M.	

RECORDING

6. *Now listen to some more times and write them down.*

Example: ¿Qué hora es?
Son las tres y media.

7. *Read the note below giving information about the conference. Write the information in your diary.*

Your turn

You are talking to Sra. Latorre who introduces you to her family. Join in the conversation by following the prompts.

Sra. Latorre:	Hola, buenas tardes. Soy Elena Latorre.
Usted:	*Say you are pleased to meet her and introduce yourself.*
Sra. Latorre:	Éste es mi hijo Felipe.
Usted:	*Ask him how he is.*
Felipe:	Bien, gracias. ¿Y usted?
Usted:	*Say you are well. Ask her where she is from.*
Sra. Latorre:	Yo soy de Barcelona. ¿Y usted?
Usted:	*Say your nationality and your place of origin.*
Sra. Latorre:	¿Y dónde vive?
Usted:	*Say where you live.*

Close up

Tú *("you" informal) is used with the second person singular of the verb:* **tú te llamas, tú vives. Usted** *("you" formal) is used with the third person singular of the verb, the same form used for* **él** *and* **ella**: **usted se llama, usted vive**.

The first person plural forms (**nosotros** *we) of the verbs* **ser** *(to be), and* **vivir** *(to live), are* **somos** *and* **vivimos**. *The third person plural forms* (**ustedes** *you,* **ellos**, **ellas** *they) are* **son** *and* **viven**.

The demonstrative pronoun "this" in Spanish is **éste**, *for the masculine singular form and* **ésta**, *for the feminine singular.*

¿Qué pasa?

What's going on?

Word Bank

¿Cómo?	How?	plaza	square
escribir	to write	paseo	boulevard (walk)

RECORDING

1. *Listen to this telephone conversation. Sra. Falcón, the personnel director of a big company, is talking to someone who is applying for a job. Look at these two ways of spelling the applicant's name. ¿**Vaquero** or **Baquero**? Which do you think is the correct one?*

¿Dígame?	Hello! (on the phone)
¿Cómo está?	How are you?
¿Cómo se escribe...?	How do you spell...?

RECORDING

2. *Listen to the alphabet in Spanish and repeat.*

a b c d e f g h i j k l m n ñ o p q r s t u v w x y z

RECORDING

3. *Now listen to the spelling of the words that you have studied in this lesson and write them down. Did you spell them correctly? Check the Word Bank.*

DidYouKnow?

*Until very recently there were two more letters in the Spanish alphabet: **ch** and **ll**. These have now disappeared as separate letters by order of the Spanish Royal Academy of Language and have become combined letters as in English: c+h= ch, l+l = ll. However, you might still find them in dictionaries as separate letters.*

*The letters **w** and **k** are only used for foreign words. The letter **ñ** is still a separate letter and comes after **n**.*

Now listen to the answering machine. You can hear the messages from four people. Write down the details on the message pad.

Martes/Tuesday, 10
Mensajes telefónicos/
Telephone messages

Nombre/
Name: _____

Hora/
Time: _____

Número de teléfono /
Telephone number:

_____

Your turn

You call Sra. Falcón. Join in the dialogue by using the prompts.

Sra. Falcón:	¿Dígame?
Usted:	*Say hello and ask if it's Sra. Falcón speaking.*
Sra.Falcón:	Sí, soy yo.
Usted:	*Say who you are and ask how she is.*
Sra. Falcón:	Ah sí. Perdone, ¿cómo se escribe?
Usted:	*Spell your name.*
Sra. Falcón:	Ah, sí... sí, y... ¿cuál es su dirección?
Usted:	*Say your full address.*
Sra. Falcón:	Perdone, ¿cómo se escribe?
Usted:	*Spell the names of your street, state, and zip code.*

Pronunciation

Spanish Vowels

*Spanish has five vowels, which are very short and clearly pronounced. Listen to them: **a**, **e**, **i**, **o**, **u**. They are always pronounced. You must pay attention when spelling **e** and **i** which are especially confusing for English speakers. **Y** sounds like **i** when it's a vowel: **soy** (I am), **y** (and).*

Listen to the following conversation and pay attention to the way the vowels are pronounced.

Sra.:	¿Su nombre, por favor?
Sr. Domingo:	José Domingo.
Sra.:	¿De dónde es usted?
Sr. Domingo:	Soy de Palma de Mallorca.
Sra.:	¿Dónde vive?
Sr. Domingo:	Vivo en Toledo.
Sra.:	¿Su número de teléfono?
Sr. Domingo:	El cero, seis, siete, uno, cinco, cuatro.

Close-up

*The possessive adjectives in Spanish are **mi** (my), **tu** (your), and **su** (his, her, your). Be careful not to confuse the possessive **tu**, without an accent, with the personal pronoun **tú** (you) which has an accent.*

In Spanish it's common to use abbreviations for the following words:

Señor:	Sr.	Calle:	C/
Señora:	Sra.	Avenida:	Avda. or Av.
Señorita:	Srta.	Plaza:	Pza.
		Paseo:	P°

Checkpoints

Use the check list to test what you've learned in this unit and review anything you're not sure of.

Can you...?   Yes   No

- *greet people* .... ☐ ..... ☐
  Hola.
  Buenos días, señor.
  Buenas tardes, señora/señorita.
  ¿Qué tal?

- *greet someone you are introduced to* .... ☐ ..... ☐
  Mucho gusto.
  Encantado/a.

- *say "please" and "thank you"* .... ☐ ..... ☐
  Gracias.
  Por favor.

- *respond to "thank you"* .... ☐ ..... ☐
  No hay de qué.
  De nada.

- *introduce yourself* .... ☐ ..... ☐
  Soy el Sr. Martín.
  Me llamo Marta García.

- *introduce someone else* .... ☐ ..... ☐
  Le presento a mi familia.
  Ésta es Ana, mi mujer.
  Éste es Pedro, mi hijo.

- *ask someone's name* .... ☐ ..... ☐
  ¿Su nombre, por favor?
  ¿Cómo se llama usted?

- *ask where someone comes from* .... ☐ ..... ☐
  ¿De dónde es usted, Sr. Martín?
  ¿Es usted de Madrid?
  ¿De dónde son ustedes?
  ¿Cuál es su nacionalidad, señora?
  ¿De dónde eres, María?

- *ask where someone lives* .... ☐ ..... ☐
  ¿Dónde vive?
  ¿Dónde viven?
  ¿Cuál es su dirección, Sr. Vega?
  ¿Cuál es tu dirección?

- *ask for telephone numbers* .... ☐ ..... ☐
  ¿Cuál es su/tu número de teléfono?

- *say where you and others come from* . . . . ❑ . . . . . ❑
  Soy de Valencia.
  Mi hijo y yo somos de Barcelona.
  Soy inglesa.
  Ana es de Sevilla.
- *say where you live* . . . . ❑ . . . . . ❑
  Vivo en Madrid, en la Calle Cervantes, número seis.
  Vivimos en España, en Barcelona.
- *give your telephone number* . . . . ❑ . . . . . ❑
  Mi número de teléfono es el 555-31-58.
- *count to 15.* . . . . ❑ . . . . . ❑
- *say the Spanish alphabet* . . . . ❑ . . . . . ❑
- *ask and say the time* . . . . ❑ . . . . . ❑
  ¿Qué hora es?
  Es la una.
  Son las dos.
- *ask someone how his/her name and address are spelled* . . . . ❑ . . . . . ❑
  ¿Cómo se escribe su nombre/su dirección?
- *spell your name and address* . . . . ❑ . . . . . ❑
- *answer the telephone* . . . . ❑ . . . . . ❑
  ¿Dígame?

Learning tips

Write down the sentences and words you have learned on cards. Separate the questions and the answers. Study them. Put the questions and answers that correspond together. Then write the equivalents in English on different colored cards. Mix them up. Match the Spanish with the English equivalent. Then try to make a dialogue using all the Spanish cards.

Do you want to learn more?

Do you have access to Spanish language newspapers or magazines? If so, turn to the foreign news section and see how many country names you can recognize. If you don't have easy access to Spanish language publications, the Spanish or Mexican Consulates or the National Tourist Office may be able to help you.

Unit 2 is about ordering, offering, and buying. When you have completed this unit, you will know how to:

- order something to eat and drink
- offer people something to eat and drink
- buy things

¿Qué quiere tomar?

Word Bank

las aceitunas	olives	el pastel	cake
el agua mineral	mineral water	las patatas fritas	French fries, (Spain) crisps
el bocadillo	sandwich	la peseta	peseta (Spanish currency)
el café solo	black coffee		
el café con leche	coffee with milk	el refresco	soft drink
la cerveza	beer	el té (con limón)	tea (with lemon)
con gas/sin gas	carbonated/ non-carbonated	la tortilla	omelet
		un/una	a
la Coca Cola®	Coke®	unas/unos	some
el cortado	coffee with a small amount of milk	(vaso de) vino	(glass of) wine
la hamburguesa	hamburger	el jugo de naranja	orange juice
el helado	ice cream (noun)		

Quiero un café con leche

Ordering something to eat and drink

RECORDING

1. **Listen to a woman ordering something to eat and drink. Write down what she orders.**

¿Qué quiere tomar?	What would you like to have?
¿Quiere comer algo?	Would you like something to eat?
Quiero...	I'd like...
¿Algo más?	Anything else?
Nada más.	Nothing else.
Aquí tiene.	Here you are.
¿Cuánto es?	How much is it?

RECORDING

2 **Listen to some people ordering food and drink in a Spanish bar, and number the items on the menu in the order you hear them.**

Póngame...	Can you give me...?
Para mí...	For me...

Bar Pepe

Cerveza

Hamburguesa

Helado

Refresco

Cortado

Té con limón

Vino

Aceitunas

3.

Now listen to the recording once more, and repeat each order after you hear it. Then use the menu to order food using the expressions you've learned.

4.

Prepare a list of snacks and drinks for a party using the menu. Write the name of each item with **un, una, unos,** *or* **unas.** *Then check your list against the Word Bank.*

5.

It's time to pay. You'll need to know numbers to understand prices. Listen and repeat the numbers.

16	dieciséis	20	veinte
17	diecisiete	21	veintiuno
18	dieciocho	22	veintidós
19	diecinueve	30	treinta

After **treinta,** *numbers continue regularly as follows:*

31	treinta y uno	70	setenta
32	treinta y dos	80	ochenta
40	cuarenta	90	noventa
50	cincuenta	100	cien
60	sesenta		

In the numbers after one hundred, **cien** *becomes* **ciento:**

101	ciento uno
110	ciento diez
150	ciento cincuenta
185	ciento ochenta y cinco

6. Listen to some customers in a bar asking how much things cost. Fill in the prices on the check. One has been done for you.

Café	57ptas.
Pastel	
Vino	
Bocadillo	
Agua mineral	

Your turn

You are in a Spanish bar with three friends who do not speak Spanish. Use all the different ways of ordering you've learned.

Camarero:	¿Qué quieren tomar?
Usted:	Order a black coffee, a beer, and a mineral water.
Camarero:	¿Quieren comer algo?
Usted:	Order a sandwich, a cake, and some French fries.
Camerero:	¿Algo más?
Usted:	Tell him you don't want anything else and ask how much it is.

Close up

The words for "a/an" in Spanish are **un** and **una**. **Un** is the masculine form and **una** the feminine.

Quiero **un** helado y **una** cerveza.

Unos and **unas** are the plural form and mean "some." **Unos** is the masculine form and **unas** the feminine.

Quiero **unos** pasteles y **unas** patatas fritas.

Unos and **unas** are often omitted in Spanish, and it is possible just to say: Quiero pasteles y papas fritas.

¿Quiere beber algo?

Offering something to eat and drink

RECORDING

1.

Sr. and Sra. Medina are at a conference in Ciudad de México. They are in the house of one of their colleagues and are having some snacks and drinks. Listen to the dialogue.

Listen again and say what Sr. and Sra. Medina want to drink.

> ## DidYouKnow?
> In Spain it is usual to have a drink accompanied by a snack just before lunch. The snacks are called **tapas** and can be anything from a small plate of french fries and olives to a portion of Spanish omelet, meatballs, or squid.

¿Quiere beber algo?	*Would you like something to drink?*
¿Qué prefiere?	*What do you prefer?*
¿Prefiere... o...?	*Do you prefer... or...?*

RECORDING

2.

Listen and repeat.

Offer the following food and drinks: **vino, agua, patatas fritas, whisky.**

Example: Vino   **¿Quiere vino?**

Now offer a choice: **¿vino/jerez? ¿vino blanco/vino tinto? ¿té/café? ¿café solo/café con leche?**

Example: ¿vino/jerez? ¿Prefiere vino o jerez?

W o r d B a n k

los antojitos	snacks	o	or
la carne	meat	las papas fritas	French fries (Lat. Am.)
las enchiladas	a kind of pancake filled with meat or cheese	relleno/a de queso	filled with cheese
el jerez	sherry	la sangría	drink made with wine, soft drink, and fruit
el jugo	juice	la tortilla	omelet (Spain)
el jugo de papaya	papaya (tropical fruit) juice	la tortilla	a kind of pancake (Mexico)
el jugo de toronja	grapefruit juice	el vino blanco	white wine
las/los	the (plural)	el vino tinto	red wine
el licuado de fresa	strawberry shake	el whisky	whiskey

RECORDING

3.

Listen to the first part of the conversation from Activity 1 and fill in the blanks.

Sr. Martínez:	Señora Medina, ¿_____ beber algo?
Sra. Medina:	Sí, gracias.
Sr. Martínez:	¿_____ _____, vino, jerez, sangría, un whisky…?
Sra. Medina:	Eh… _____ _____, por favor.
Sr. Martínez:	¿_____ _____ _____ o vino blanco?
Sra. Medina:	_____ _____ blanco. Muchas gracias.

Now listen to the conversation again to check your answers.

Javier is staying with Sr. and Sra. Medina. They have a daughter, María. María takes Javier to a party. Listen to the dialogue. Javier does not know many of the drinks and foods on the table and cannot make a choice. María is explaining what some of the things are to Javier.

Choose what Javier wants to drink and eat.

| ¿Qué es esto? | What is this? |
| ¿Qué son...? | What are...? |

There are some new kinds of food and drink in the dialogue. They are Mexican. To check what they are look at the Word Bank. Have you tried any of them?

Use some of the words in the Word Bank to practice asking what they are. Use the phrases: **¿Qué es...?/¿Qué son...?**

Your turn

Take the part of Javier. Listen to the conversation at the party and join in by following the prompts.

María:	¿Quieres tomar algo, Javier?
Javier:	**Say yes. Ask what something is.**
María:	Es jugo de papaya. Y esto es jugo de toronja... esto es licuado de fresa... También hay cerveza...
Javier:	**Say you'd prefer a beer.**
María:	¿Quieres una enchilada?
Javier:	**Ask what it is.**
María:	Es una tortilla rellena de queso o de carne.
Javier:	**Say yes.**
María:	¿Quieres unas papas fritas?
Javier:	**Ask what they are.**
María:	Son patatas fritas.
Javier:	**Refuse politely.**

Close up

When offering someone something in a formal way, use the expression **¿Quiere...?** **¿Quiere** vino?

However, when talking to a child, family member, or in a familiar way, use **¿Quieres...?** **¿Quieres** papas fritas?

When asking for something, use the first person of the verb: **Quiero...** and sometimes add the personal pronoun **yo** for emphasis.

¿Tiene postales?

Buying things

Word Bank

aquí	*here*	la naranja	*orange*
el bolígrafo	*ball-point pen*	la papelería	*stationary store*
la ciudad	*city*	el periódico	*newspaper*
el color	*color*	el plano	*map (of the town)*
el diccionario	*dictionary*	la postal	*postcard*
el diccionario de español	*Spanish dictionary*	la región	*region*
		la revista	*magazine*
el estanco	*tobacco and stamp shop*	el rollo	*roll of film*
la fresa	*strawberry*	el sello	*stamp*
el kiosco	*kiosk*	la tienda	*shop*
la librería	*bookstore*	la tienda de fotografía	*photo shop*
el limón	*lemon*	la vainilla	*vanilla*
el mapa	*map*		

1.

Listen to various people buying ice cream. What flavor does each one want? Put the number of the client next to the appropriate ice cream flavor. If you didn't get all of them, look in the Word Bank. Listen again and write the price of each ice cream.

¿Qué le pongo?   *What would you like?*
Deme . . . /¿Puede darme . . . ?   *Can I have . . . ?*

RECORDING

2.

Listen to the dialogues and, using the prompts, play the part of the client. Then look at the flavors of ice cream in the picture and order them.

DidYouKnow?

In Spain, you can find special shops called **estancos***, which mainly sell stamps and cigarettes, but also postcards, sweets, and some have magazines. They are all recognized by a special sign bearing the red and yellow colors of the Spanish flag. They are owned by the government which has a monopoly on the sale of tobacco and stamps.*

3. *Now look at the shopping list of items you want to buy. Where would you buy them? Match the items with the shop. You can buy some of the items in more than one place.*

revista   diccionario   bolígrafo   mapa

rollo   postales   sello   plano

RECORDING

4. *Now listen to the dialogues and fill in the chart. What do the clients buy, and how much do the items cost? The first one is done for you.*

Clientes	Artículos	Precios
①	revista	150
②		
③		
④		
⑤		

¿Cuánto cuesta?
How much does it cost?
¿En qué puedo servirle?
How can I help you?
¿Qué desea?
What would you like?
¿Tiene...?
do you have...?

5. *Listen to the dialogue and use the prompts to play the part of the client.*

6. *Listen to Dialogue 5 from Activity 4 again and then fill in the blanks.*

Dependienta:	¿En qué puedo sevirle?
Cliente:	Deme un _____ de cincuenta pesetas, por favor.
Dependienta:	¿ _____ más?
Cliente:	¿ _____ _____ de la ciudad?
Dependienta:	Sí, aquí.
Cliente:	Ah, sí. _____ dos _____, por favor.
Dependienta:	Aquí tiene, un _____ de cincuenta pesetas y dos _____.
Cliente:	¿Cuánto _____?
Dependienta:	Ochenta pesetas.

Your turn

You want to buy the following items: **Un rollo, dos postales,** *and* **un mapa.** *Play the part of the client.*

Dependiente:	¿Qué desea?
Cliente:	*Say that you want a roll of film and two postcards.*
Dependiente:	Sí, aquí tiene. ¿Algo más?
Cliente:	*Say that you also want a map.*
Dependiente:	Aquí tiene. Son ciento noventa y cinco pesetas.

Pronunciation

In Spanish, the **u** *in* **qu** *is not pronounced:*

Quiero una cereza, por favor.

The **u** *is pronounced after* **c**, *as in* **cuanto**.

Listen to the following conversation. How are the sounds
qu *and* **cu** *pronounced?*

Camarero:	¿Qué quiere comer?
Clienta:	Quiero un bocadillo de queso y un café solo.
Camarero:	Aquí tiene.
Clienta:	¿Cuánto cuesta?
Camarero:	El bocadillo ciento quince y el café cincuenta y cuatro.

Listen and repeat the sentences:

No quiero café.
¿Cuánto cuesta esta revista?
Esta revista cuesta cuarenta y cuatro pesetas.
¿Qué son enchiladas?
Son tortillas con queso.

Close up

English constructions like *"vanilla ice cream," "color film,"* and a *"fifty pesetas stamp"* have the adjectival clause before the noun. In Spanish, this goes after the noun, and it is linked by the preposition **de**:

helado de vainilla	*an ice cream of vanilla*
rollo de color	*a film of color*
sello de cincuenta pesetas	*a stamp of fifty pesetas*

Checkpoints

Can you . . . ?   **Yes**   **No**

- *ask for something to eat and drink* . . . . ☐ . . . . . . ☐
  Una cerveza, por favor.
  Quiero un café, por favor.
  Póngame un bocadillo de queso.

- *offer food and drink* . . . . ☐ . . . . . . ☐
  ¿Quiere un café?
  ¿Quieres café?
  ¿Qué quiere tomar?
  ¿Qué va a tomar?

- *say how much something costs* . . . . ☐ . . . . . . ☐
  Son 60 pesetas.

- *ask how much something costs* . . . . ☐ . . . . . . ☐
  ¿Cuánto es?
  ¿Cuánto cuesta?

- *count up to 199* . . . . ☐ . . . . . . ☐

- *ask for things in shops* . . . . ☐ . . . . . . ☐
  Quiero un sello.
  Deme un helado, por favor.
  ¿Tiene mapas?

- *ask what someone wants* . . . . ☐ . . . . . . ☐
  ¿Qué quiere?
  ¿Qué desea?
  ¿En qué puedo servirle?

Learning tips

*Record yourself and check the tape. Use stickers to write the
words you are learning and stick them in or near the items they
identify. Put a big poster on the refrigerator with pictures and
words of food and drink, or just the words. And when you open
the refrigerator, look at one word and try to find the item inside.
Write your shopping lists in Spanish. It will be fun when you go
shopping to see how much you remember!*

Do you want to learn more?

*If someone you know is going to a Spanish-speaking country, ask
them to bring you magazines with recipes and checks from
restaurants and cafés. Some restaurants and cafés may let them
take a menu. See how many names of foods and drinks you can
identify, and practice ordering them.*

CAJA DE AHORROS

Unit **3** is about families, jobs and workplaces. At the end of this unit you will know how to:

- ask and give information about your family
- ask and say the age of someone
- ask and give information about your occupation
- say where you work
- ask and say what languages people speak

Mi familia y mi trabajo

3

Word Bank

el/la abuelo/a	grandfather/ grandmother	mediano/a	in the middle
el año	year	muchos/as	many, a lot
casado/a	married	el/la nieto/a	grandchild (grandson, granddaughter)
con	with	el/la novio/a	girlfriend or bride, boyfriend or groom
¿Cuántos/as?	How many?		
divorciado/a	divorced	el padre	father
el/la esposo/a	spouse (husband/wife)	los padres	parents
la familia	family	pequeño/a	small
el/la hermano/a	brother/sister	el/la primo/a	cousin
el/la hijo/a	child (son/daughter)	el/la sobrino/a	nephew, niece
		soltero/a	single (unmarried)
la madre	mother	el/la tío/a	uncle, aunt
el marido	husband	el/la viudo/a	widower/widow
mayor	older		

Ésta es mi familia

This is my family

RECORDING

1.

Listen to Sra. García talking about her family to a colleague. Identify the following people in the illustration:

Teresa, Luis, Jorge, and María.

DidYouKnow?

In Spain and Latin America people have two last names. The first is from the father, and the second is from the mother. For example, Pedro, the son of Juan Martín Pérez and María Sanz Rodrigo is Pedro Martín Sanz.

Also, when a woman gets married she can retain her maiden name. Therefore María's surname is Sanz although she is married to Juan Martín.

Can you also write down Sra. García's children's ages?

Listen again to Sr. Fernández. Is he married or single?

Éste/Ésta es...	This is...
Éstos/Éstas son...	These are...
¿Tiene hijos?	Have you got any children?
Tengo...	I have...
¿Cuántos años tiene?	How old is s/he?
Tiene... años.	S/he is... years old.

2.

You will now hear several people talking about their families. Before you listen to the recording, go to the Word Bank and find more family words. Study them and try to identify them in the dialogues. Then listen again and match the people with the statements.

1. Luis

2. Rafael

3. Sara

4. Juanjo

5. Teresa

_____ Soy casada.

_____ Tengo novia.

_____ Tengo un hijo de diez años.

_____ Tengo un sobrino.

_____ Tengo dos hijas.

_____ Tengo un abuelo y una abuela.

_____ Estoy divorciado.

_____ Tengo un nieto de cinco años.

_____ Soy soltero.

_____ No tengo hermanos.

_____ Tengo dos hermanas.

_____ Tengo muchos primos.

3.

Listen to the dialogue from Activity 1 again and repeat the part of Sr. Fernández. Then look at the photo of Sra. García's family and talk about them to a friend as if they were your family.

4. *Draw your family tree and write a letter to your friend about your family.*

Your turn

Talk about your (extended) family, including uncles, cousins, and so on. Can you give details about everyone: their name, age, where they are from, and where they live?

Close-up

Use the verb **tener** *(to have) instead of* **ser** *(to be) to say how old you are:* **Tengo veinte años** *(I'm 20 years old).*

In Spanish, the demonstrative plural "these" is: **éstos** *for the masculine and* **éstas** *for the feminine.*

The possessive plural adjectives are **mis** *(my),* **tus** *(your), and* **sus** *(his/hers/their). The plural depends on the objects possessed, not on the person who possesses them.*

To express possession or relationship you can also use **de** *(of):* **el padre de mi madre** *(my mother's father, or the father of my mother).*

Most plurals for family titles are formed just by adding an **-s** *or* **-es** *to the masculine form:* **los tíos** *means "aunt and uncle",* **los padres** *means "parents" as well as "fathers."*

The verb "to be" has two forms in Spanish: **ser** *and* **estar***. A word such as* **casado/a***, can be used with either verb:* **soy casada, estoy casada***.*

¿Cuál es su profesión?

What is your job?

Word Bank

actual	current, present		inglés/inglesa	English
actualmente	at the moment		el instituto de enseñanza secundaria	secondary school
el año	year		el lugar	place
alemán/alemana	German		el lugar de trabajo	work place
japonés/japonesa	Japanese		el/la mecánico/a	mechanic
la clínica	clinic, hospital		el/la médico/a	doctor
bueno/a	good, ok		muy bien	very good/well
la compañía (de importación y exportación)	(import and export) company		el desempleo (paro)	unemployment
comprender	to understand		la profesión	profession
el/la dependiente/a	(shop) assistant		el/la profesor/a	teacher, professor
la edad	age		el/la secretario/a	secretary
el/la enfermero/a	nurse		el taller	workshop, garage
francés/francesa	French		la tienda de deportes	sports shop
hablar	to speak		trabajar	to work
hacer	to make/to do		el trabajo	job
el hospital	hospital		un poco	a little
el idioma	language			

1. *Isabel is being interviewed for a job by Sr. Jorge León. Fill in the missing details on her résumé.*

• **Nombre**

_____

• **Nacionalidad**

_____

• **Trabajo actual**

_____

• **Lugar de trabajo**

_____

• **Idiomas**

_____

_____

_____

¿En qué trabaja?	*What's your job?*
Soy secretaria.	*I'm a secretary.*
¿Dónde trabaja?	*Where do you work?*
Trabajo en...	*I work for...*
¿Habla idiomas?	*Do you speak any languages?*
Hablo un poco de alemán.	*I speak a bit of German.*
Comprendo...	*I understand...*
No lo hablo muy bien.	*I don't speak it very well.*

2.

Listen to various people saying what jobs they do and where they work. Match each person with the corresponding illustration.

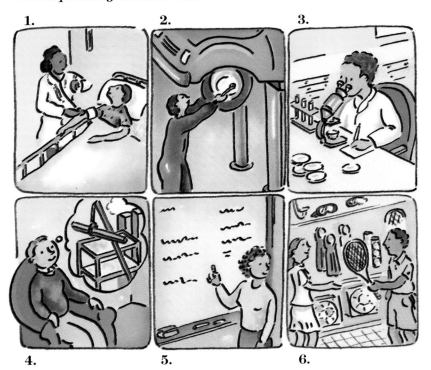

1.
2.
3.

Francisco
Rosa
Gloria
Julio
Joaquín
Alicia

4.
5.
6.

¿Cuál es su profesión?

¿Qué hace usted?

¿Cuál es su trabajo?

Estoy desempleado/a.

No trabajo.

¿Cuál es su lugar de trabajo?

What's your profession?

What do you do?

What's your job/occupation?

I'm unemployed.

I don't work.

Where's your workplace?

3.

Look at the signs of these places and write above each one the name of the person who works there.

Then write sentences like this about each one of them.

Example: Francisco es mecánico. Trabaja en un taller.

Write five more sentences about people you know and then one about yourself.

Your turn

You are going to an interview, and you are asked the following questions. Answer them giving as many details about yourself as you can.

Sr. León:	¿Cómo se llama?
Usted:	
Sr. León:	¿De dónde es?
Usted:	
Sr. León:	¿En qué trabaja actualmente?
Usted:	
Sr. León:	¿Dónde trabaja?
Usted:	
Sr. León:	¿Habla idiomas?
Usted:	

Close up

In Spanish there are three types of verbs. Those ending in **-ar**, **-er**, *and,* **-ir**. *Verbs ending in* **-ar** *include:* **llamar (se)** *(to be called),* **trabajar** *(to work), and* **hablar** *(to speak). Verbs ending in* **-er** *include:* **comer** *(to eat), and* **comprender** *(to understand). An example of a verb ending in* **-ir** *is* **vivir** *(to live).*

In the singular, the first person ending is **-o** *for verbs ending in* **-ar**, **-er**, *and* **-ir**: **-o**: **trabajo**, **escribo** *(I write),* **vivo**; *the second and third persons are the same for the verbs ending in* **-er** *and* **-ir**: **comes**, **vives**, **come**, **vive**; *and different for the verbs ending in* **-ar**: **hablas**, **habla**.

¡A trabajar!

Let's get to work!

Word Bank

americano/a	*American*	mañana	*tomorrow*
el/la amigo/a	*friend*	la mañana	*morning*
aquí	*here*	la mesa	*table*
el archivo	*filing cabinet*	norteamericano/a	*(North) American*
la computadora	*computer*	nuestros/as	*our*
el/la director/a (de relaciones públicas)	*Director (of Public Relations)*	la oficina	*office*
		perfectamente	*perfectly*
el escritorio	*desk*	el periódico	*newspaper*
el estante	*shelf*	¿Quién?	*Who?*
el/la estudiante	*student*	la silla	*chair*
estudiar	*to study*	el supermercado	*supermarket*
¡Estupendo!	*Wonderful!*	el teléfono	*telephone*
el fin de semana	*weekend*	la universidad	*university*
el grupo	*group*	visitar	*to visit*
Hasta luego.	*See you later.*		
Hasta mañana.	*See you tomorrow.*		

1.

A group of students wants to visit the famous newspaper
La Jornada *in* Ciudad de México. *Who do they want to
speak to? Where are they from? When will they visit the
newspaper?*

¿Bueno?	Hello! (answering the phone in Mex.)
¿En qué puedo ayudarle?	How can I help you?
Quisiera hablar con...	I would like to speak to...
¿De parte de quién?	Who is calling?
Queremos visitar...	We would like to visit...
Sí, claro.	Yes, of course.
¿Es posible...?	Is it possible...?

2.

*The next day, the group of students meets Sr. Contreras,
the public relations officer from* La Jornada. *Listen to
their conversation. What does Sr. Contreras ask the
students?*

¡Pasen!	Come in!
¿Hablan ustedes...?	Do you speak...?
¡Claro!	Of course!
¿Dónde estudian?	Where do you study?
Estudiamos en...	We study in...

3.

*Listen to Dialogue 1 again and repeat the
part of the student. Then make up similar
dialogues, but replace the visiting
students with the following:*

a. *a group of teachers who visit a university*

b. *a group of doctors who visit a hospital*

c. *a group of students who visit a supermarket*

DidYouKnow?

In Spanish there are different ways to answer the phone. In Spain it's usually: **Dígame** or more informally: **¿Sí?** In México, it's **Bueno**.

A computer in most Latin American countries is called **la computadora**, but in Spain it's called **el ordenador**. The mouse is called **el mouse** in Mexico, but in Spain it's called **el ratón**.

4. *One of the students is staying to get some experience working at La Jornada. During his first day he is shown around by another student. Look at the drawing of the office and list the objects in the order they are mentioned.*

Trabajamos…	*We work…*
¿Tienes amigos?	*Have you got any friends?*
¿Qué haces?	*What do you do?*

Your turn

Look at the picture of the office above. You are showing everything to a new colleague who has just started work there. But first listen to the dialogue again and repeat the part of Claudia to help you. Then try it on your own.

Pronunciation

*In Spanish **h** is not pronounced at all. Listen to the following words:*

> **hola**
> **hijo**
> **hermano**

*The **v** is often pronounced as a **b** in Spanish. Therefore it is often impossible to know which one to write unless we know the word. Listen: **Baquero** and **Vaquero** sound exactly the same. In some parts of Latin America, especially in Argentina, the **v** sound is pronounced similar to English: **Vaquero, viudo**.*

*Listen to the two dialogues and notice how the **h** is not pronounced and the **v** is pronounced.*

–¿Tiene hijos, Sr. Vera?

–Sí, tengo un hijo y una hija. ¿Y usted Sra. Herrera?

–No tengo hijos, soy viuda y vivo con mi hermano que está divorciado.

–Hola Héctor, éste es mi novio Víctor.

–Hola, Víctor. ¿Vives en Valencia?

–No, vivo en Nueva York.

–¿Hablas inglés?

–Sí, claro, hablo inglés.

–¿Trabajas en Nueva York?

–Sí.

–¿Qué haces?

–Soy médico en un hospital.

Listen to the following sentences and repeat them.

With v and b

No tengo novio.
Estoy divorciado.
Bebo vino en un bar.
Vivimos en Barcelona.
Bárbara es viuda.
Tengo veinte años.

With h

Mi hermano toma helado.
Hola, hijo.
Mi hija está en el hospital.
Mi hermana no habla inglés.
Hasta mañana, hija.

Close-up

Present tense: plural forms

*The plural forms of the three conjugations are different for the first person: (**nosotros**, we): **trabajamos**, **comemos**, **vivimos**. The second person formal (**ustedes**, you) and the third person (**ellos,ellas**, they) coincide in form and are as follows: **trabajan, comen, viven**. In Spain there is also a second person informal (**vosotros/as**) **trabajáis, coméis, vivís**, but this is not used in Latin America and only used with good friends and family in Spain.*

Plural possesive adjectives/pronouns

*The plural possessive adjectives and pronouns are: **nuestro/a** (our, ours) **vuestro/a** (your, yours) **su** (your, yours, their, theirs), if they refer to only one thing possessed. For more than one thing use: **nuestros/as** (our, ours), **vuestros/as** (your, yours), **sus** (your, yours, their, theirs).*

Checkpoints

Can you...? **Yes** **No**

- *ask for information about someone's family* .... ☐ ..... ☐
  ¿Es ésta su familia, Sra. García?
  ¿Tiene hijos?

- *give information about yourself and your family* .... ☐ ..... ☐
  Tengo dos hermanos y una hermana.
  No tengo hermanos.
  Tengo dos hijas.
  Tengo un hijo de once años.
  La esposa de mi hijo se llama Susana.

- *introduce the members of your family and friends* .... ☐ ..... ☐
  Éste es mi marido. Se llama Luis.
  Éstos son mis hijos.
  Ésta es mi hija mayor.
  Éstas son mis amigas Rosa y Pilar.

- *ask and give information about your marital status* .... ☐ ..... ☐
  ¿Está casado o soltero?
  Soy soltero.
  Tengo novia.
  Estoy casada.
  Estoy divorciada.
  Soy viudo.

- *ask and say how old someone is* .... ☐ ..... ☐
  ¿Cuántos años tiene?
  Tiene trece años.

- *ask for information about someone's occupation* .... ☐ ..... ☐
  ¿Cuál es su profesión?
  ¿En qué trabaja?
  ¿Qué hace usted, Rosa?

- *give information about your occupation* .... ☐ ..... ☐
  Soy médica.
  Soy arquitecto.
  No trabajo.
  Estoy desempleado.
  Somos estudiantes.

- *ask where someone works or studies* . . . . ❑ . . . . . ❑
  ¿Dónde trabaja?
  ¿Dónde estudian ustedes?

- *say where you and others work or study* . . . . ❑ . . . . . ❑
  Trabajo en una compañía de importación y exportación
  en Ciudad de México.
  Trabajo en una escuela secundaria.

- *ask and say what languages you and others speak* . . . . ❑ . . . . . ❑
  ¿Habla otros idiomas?
  ¿Hablan ustedes español?
  Sí, hablo inglés y un poco de francés.
  Comprendo el japonés.

- *answer the telephone* . . . . ❑ . . . . . ❑
  ¿Dígame?
  ¿Bueno?

- *say that you would like to speak to someone* . . . . ❑ . . . . . ❑
  Quisiera hablar con el Sr. Contreras.

- *ask who is calling* . . . . ❑ . . . . . ❑
  ¿De parte de quién?

Learning tips

*When studying vocabulary, organize the words you are learning
into meaningful groups. Make lists such as family, jobs, or
furniture. You might want to use a color code or a different color
paper or ink for each category.*

Do you want to learn more?

*Turn to the employment advertisements in a Spanish-language
newspaper to see how many of the jobs you recognize. Use clues
from the name of the company. Guess what the job title might
mean, and then check your dictionary.*

Unit 4 is about finding your way around town. By the end of this unit you will know how to:

- ask for and give simple directions
- ask about business hours
- ask for clarification

¿Dónde está?

4

Word Bank

al final	at the end	lejos	far
al lado de	next to	Lo siento.	I'm sorry.
allí	there	más	more
la calle	street	la oficina de turismo	tourist office
la catedral	cathedral	¡Oiga!	Listen! (Hey!)
cerca	near	para	to, towards
derecha	right	poder	to be able, can
despacio	slow	primero/a	first
después	after	repetir	to repeat
doblar	to turn	el restaurante	restaurant
¿Dónde?	Where?	saber	to know
la esquina	corner	seguir (Siga...)	to follow (Follow...)
la estación	station		
estar	to be (for location)	segundo/a	second
hablar	to speak	el semáforo	the traffic light
hasta	up to, until	subir	to go up
el hotel	hotel	tercero/a	third
ir	to go	todo recto	straight ahead
izquierda	left	tomar	to take

¿Está lejos de aquí?

Asking and giving directions

RECORDING

1. *Listen to the recording of Sr. Pérez. He is visiting a town with his family. He is on the Calle Mayor and cannot find the Hotel Sol, where they are staying. Look at the map and listen to him asking a passerby for directions. Locate the hotel.*

¿Dónde está...?	*Where is...?*
Siga esta calle.	*Follow this street.*
Tome la tercera...	*Take the third...*
a mano izquierda	*to the left*
en la esquina	*on the corner*
¿Puede repetir?	*Can you repeat?*
¿Está lejos de aquí?	*Is it far from here?*
Está muy cerca.	*It's very near.*
a diez minutos	*ten minutes away*

2.

Listen to Sr. Pérez again. He and his family keep getting lost. Now he wants to go to the famous Restaurante Faustino for dinner. He also wants to go to the station and the tourist office. He asks various people on Calle Mayor for assistance. Listen to their directions. Look at the map and find these places.

Doble a la izquierda.	*Turn left.*
a la derecha/a la izquierda	*to the right/left*
¿Sabe usted por dónde se va a la estación?	*Do you know how to get to the station?*
a la izquierda de la calle	*on the left hand side of the street*
¿Para ir a...?	*To go to...?*
No soy de aquí.	*I'm not from here.*
¿Cómo/Por dónde se va a...?	*How do you get to...?*
Suba por esta calle.	*Go up this street.*
¿Puede hablar más despacio?	*Could you speak more slowly?*

3.

Sr. Pérez asks you about other places. Give him directions using the map.

1. ¿Dónde está la catedral?

2. ¿Por dónde se va al museo?

3. ¿Cómo llego a la Plaza Mayor?

4. *Your colleague is planning to visit you soon. Look at a map of your town and write a note to her explaining how to get to your house from the station.*

Your turn

A tourist asks you where various famous places are in your town. Use a map to explain where the places are and give detailed directions. Choose a point on the map to start from and follow the directions on it as you speak.

Close-up

In Spanish, there are two verbs that express the concept of the verb "to be" in English: **ser** and **estar**.

Ser *is used in sentences such as:*

> **Soy** el señor Martín.
>
> Juan **es** profesor.
>
> Éste **es** mi hijo.

In this unit we introduce **estar**, *to express position and place. It is used in expressions such as:*

> ¿Dónde **está?**
>
> **Está** allí.
>
> **Estoy** en Madrid.

DidYouKnow?

Shops are open all day in Mexico, and they are also open on Saturdays and Sundays. There are also small supermarkets called **Oxxo**, which are open all night.

In Spain shops open at 9:30 or 10:00 A.M. and close around 1:30 P.M. for about three hours for lunch. They open again at 4:30 or 5:00 P.M. and close about 8:00 P.M. Some large stores are open all day. Shops are open from Monday to Saturday and they close on Sundays, except for souvenir shops in tourist areas. Note that most Spanish-speaking countries use a 24-hour system. For example, 18:30 is 6:30 P.M.

¿Está abierto el banco?

Inquiring about schedules

Word Bank

abierto/a	open	entre	between
abrir	to open	excepto	except
ahora	now	la farmacia	pharmacy
alto/a	tall	la fuente	the fountain
antiguo/a	old	gran/grande	great, big
el arte	art	el horario	timetable
el autobús	bus	hoy	today
el banco	bank	interesante	interesting
la biblioteca	library	el jardín	garden
el centro comercial	shopping center	la madrugada	early morning
cerrado/a	closed	el metro	subway
cerrar	to close	moderno/a	modern
el cine	cinema	el museo	museum
circular	circular	pequeño/a	small
Correos	post office	pronto	early, soon
cruzar	to cross	las ruinas	ruins
debajo de	underneath	subterráneo	underground
desde	from	el templo	temple
el edificio	the building	ver	to see
enfrente	opposite		

Los días de la semana	Days of the week		
lunes	Monday	jueves	Thursday
martes	Tuesday	viernes	Friday
miércoles	Wednesday	sábado	Saturday
		domingo	Sunday

1.

*Sr. García is at the tourist office in a Mexican city. He
wants to find out where there are other places of interest.
Look at the buildings below. On the list, number the
places from 1–10 in the order in which you hear them
mentioned.*

_____ las Ruinas del Templo   _____ la plaza de la Constitución

_____ el Centro Comercial   _____ un cine

_____ el Musco de Arte Moderno   _____ Correos

_____ un banco   _____ una farmacia

_____ la Biblioteca General   _____ la *Cafetería Las Vegas*

¿Puede darme información?	Can you give me information?
A ver.	Let's see.
Mire.	Look.
Baje por esta calle...	Go down this street...
Al llegar a...	When you get to...
Verá...	You'll see...
Siga por allí.	Continue along there.
Cruce...	Cross...
Está en el centro.	It's in the center.
Está al otro lado de...	It's on the other side of...
¿Ve ese edificio?	Do you see that building?
Sí, lo veo.	Yes, I see it.

2. *Sr. García wants to know at what times the places he wants to visit are open. Listen and fill in the signs with the opening and closing times.*

METRO
Horario:
De____a____Días_____
excepto_____

MUSEO
DE ARTE
MODERNO

Horario:
Abierto de_____a_____
Todos los días excepto_____

RUINAS DEL
TEMPLO
Horario:
De_____a_____
Días_____

BIBLIOTECA
Horario:
Abierto de_____a_____
Todos los días excepto_____

AUTOBUSES
Horario:
De_____a_____
Días_____

Está abierto los martes.	It's open on Tuesdays.
Desde/ De... hasta/a...	From... until/to...
¿A qué hora abre/cierra?	What time does it open/close?
¿Qué horario tiene...?	What's the timetable?
Abre todos los días excepto el lunes.	It's open every day except for Monday.

3. *Use the different ways you have learned to ask the employee in the tourist office where the following places are and the days and times they are open:* el parque de atracciones, El Palacio Real, el Monasterio, la piscina, el Cine Cervantes.

4. *Your friend, who is an art history expert, is going to visit some museums. She has an agenda with the times she plans to visit them. She has some of the times wrong. Read the information in the newspaper and correct her agenda.*

HORARIO MUSEOS

Museo Arqueológico: Pza. Universidad, 5. Horario: lunes a sábado, de 9 a 14 horas, domingos de 10 a 14. Miércoles cerrado.

Museo Provincial de Bellas Artes: Plaza de los Sitios, 6. Horario: de 10 a 14 (de martes a domingo), lunes cerrado.

Museo de Cerámica: Calle Mayor, 45. Horario: jueves, viernes, sábados y domingos de 11 a 14 y de 17 a 19 horas, domingos, de 11 a 14 horas.

Museo de Escultura: Calle Luna, 78. Horario: de lunes a sábado, de 10 a 13 y de 18 a 21 horas. Domingos y festivos de 10 a 14 horas. Martes cerrado.

Museo de Goya: Avenida de Madrid, 28. Horario: Abierto de 11 a 14 y de 16 a 18:30 horas. Lunes cerrado.

AGENDA

Lunes	Mañana: a las 10 visitar el Museo de Cerámica. Tarde: Museo de Escultura, a las cinco.
Martes	Mañana: Museo de Goya a las once y media. Tarde: Museo Arqueológico a las seis.
Miércoles	Mañana: Museo Provincial, a las nueve. Tarde: Museo de Escultura, a las ocho.
Jueves	Mañana: Museo de Cerámica, a las doce menos cuarto. Tarde: Museo de Goya, a las siete.
Viernes	Todo el día: Compras
Sábado	Todo el día: Excursión
Domingo	Mañana: Museo Arqueológico, a las diez y media. Tarde: Museo Provincial de Bellas Artes, a las cuatro y media.

5. *Write a letter to a friend telling him/her when different places in your town or country open and close. Include information about monuments, shops, banks, cinemas, theaters, subway, and so on.*

Your turn

A Spanish tourist asks you these questions about your town/country:

¿Qué horario tienen los monumentos y museos en su ciudad/país?

¿Qué horario tiene el transporte en su ciudad/país?

¿A qué hora abren los parques en su ciudad/país?

¿A qué hora abren y cierran las tiendas y los bancos en su ciudad/país?

Close up

Expressions of time

To say in Spanish, at what time something takes place, add **a** *to the time: (at five o'clock)—***a las cinco.**

Recall that **de la mañana** *means "in the morning":* **a las cinco de la mañana;** **de la tarde,** *"in the afternoon or evening or night":* **a las siete de la tarde,** *and* **de la noche** *"if it's late evening or night":* **a las once de la noche.**

> El museo abre **a las diez de la mañana** y cierra **a las siete de la tarde.**

To say that something takes place in the morning, afternoon, or evening without specifying the exact time, use the preposition **por:** **por la tarde.**

> El museo abre **por la mañana** pero no abre **por la tarde.**
>
> *The museum opens in the morning but not in the afternoon.*

To say the day of the week in which something happens just put the article **el** *(days are masculine) followed by the day.*

> El museo abre **el jueves** y **el sábado.**
>
> *The museum opens on Thursday and Saturday.*

You can also use the plural: on Thursdays, **los jueves,** *on Saturdays,* **los sábados.**

En el museo

At the museum

Word Bank

al fondo	*at the end*	el piso	*floor*
alguno/a	*some*	la puerta	*door*
caballeros (servicios de...)	*men's restrooms*	quinto/a	*fifth*
la cafetería	*coffee shop*	el regalo	*present*
continuar	*to continue*	la sala	*(exhibition) hall*
el cuadro	*picture*	la salida	*exit*
cuarto/a	*fourth*	señoras (servicios de...)	*women's restrooms*
el/la guía	*guide*	los servicios	*restrooms*
la escultura	*sculpture*	el siglo	*century*
el pasillo	*corridor*		

1. **You are a tourist visiting the Museo de Arte Español, *and* you take a guided tour. Follow the directions on the map and mark the guide's itinerary.**

Vamos a visitar...	*We are going to visit...*
Por aquí.	*Here, this way.*
Continúe por...	*Continue along...*

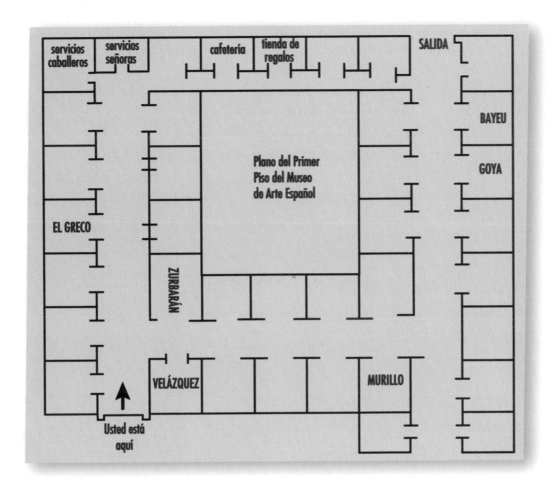

The museum floor plan shows: servicios caballeros, servicios señoras, cafetería, tienda de regalos, SALIDA, BAYEU, GOYA, EL GRECO, ZURBARÁN, VELÁZQUEZ, MURILLO, Usted está aquí. Center: Plano del Primer Piso del Museo de Arte Español.

2. *Listen to four tourists who are lost in the big museum. They ask the security guard where to find different places. Look at the map of the museum, follow the directions, and mark the places.*

¿Puede decirme...?   *Can you tell me...?*

Listen to the four dialogues again and repeat the part of the visitors. Then play the part of the tourist in the first two. Use the prompts to help you.

1.

Usted:	*Ask where the coffee shop is.*
Empleado:	**Siga este pasillo todo recto y al fondo doble a la derecha. La cafetería es la segunda puerta a la izquierda.**
Usted:	*Say "thank you."*

2.

Usted:	*Ask where to find the restrooms.*
Empleado:	**Al fondo del pasillo, a la izquierda.**

Now use Dialogues 3 and 4 to give directions to the lost tourist. Use the prompts to guide you:

3.

Señor:	**Por favor, ¿por dónde se va a la salida?**
Usted:	*Tell him to follow this corridor straight on, then turn left. The exit is there.*

4.

Señora:	**Perdone, ¿la tienda de regalos?**
Usted:	*Tell her it's next to the coffee shop, on the right.*
Señora:	**Muchas gracias.**

Your turn

Look at the map of the museum again. You are helping a lost Spanish tourist. You are in the Murillo room. Explain where the following places are:

la tienda de regalos
la cafetería
la salida
los servicios de señoras
los servicios de caballeros

Pronunciation

*The consonants **c** and **z** are pronounced the same way in Spanish in the following cases:*

c + e, i = centro, cine

z + a, o, u = plaza, zona, zumo

*The same sound can occur at the end of a word and in that case it is spelled with a **z**: **diez, Pérez**.*

These sounds are pronounced two different ways in the Hispanic world. In Spain they sound similar to a strong English "th." In the south of Spain and most Latin-American countries they sound like "s." Listen to the examples above read by a Mexican person:

centro, cine, plaza, zona, zumo

Whichever way you choose to pronounce this sound you should get used to listening to both.

Listen to this dialogue, which takes place in northern Spain, and repeat it.

DidYouKnow?

One of the most famous museums in Spain is the Museo Nacional del Prado in Madrid. Inaugurated in 1819, it was one of the first European museums. It started with 311 works. Now it has more than 3000 pieces of art on exhibition plus many more that are stored or on loan to other museums. Guernica, the famous painting by Picasso is displayed at the Museum Reina Sofía.

Close-up

To give directions in Spanish, use the imperative form of the verb. The imperative has two forms for "you," one formal (**usted**) and another more informal (**tú**). In this unit we have used the formal, since it's the most commonly used in the situations presented.

For verbs in **-ar**, the ending is **-e**:

tomar—**tome**   cruzar—**cruce**   bajar—**baje**

Tome usted la calle a la derecha.

For verbs in **-er** and **-ir**, the ending is **-a**:

ver—**vea**   subir—**suba**   seguir—**siga**   decir—**diga**

Suba por esta calle todo recto y **siga** hasta el final.

Checkpoints

Can you...?   *Yes*   *No*

- *ask for directions* .... ☐ ...... ☐
  ¿Dónde está el *Hotel Sol,* por favor?
  ¿Está lejos de aquí?
  ¿Está cerca?
  ¿Por dónde se va a la estación?
  ¿Cómo llego a la Oficina de Turismo?
  ¿Cómo se va a la Oficina de Turismo?
  ¿Hay tiendas cerca de allí?

- *give simple directions* .... ☐ ...... ☐
  Siga todo recto hasta el semáforo.
  Tome la tercera a mano izquierda.
  Doble en la segunda calle.
  Al final de la calle, doble a la derecha.
  Está muy cerca.
  Está a diez minutos.
  Suba por esta calle.
  Está al lado de la catedral.
  Baje por esta calle.

- *ask/answer about business hours* .... ☐ ...... ☐
  Está abierto/a desde las diez de la mañana hasta las ocho de la tarde.
  ¿Está abierto/cerrado?
  ¿A qué hora cierra?
  ¿A qué hora abre?
  ¿Qué horario tiene...?
  Abre de lunes a viernes, de nueve de la mañana a ocho de la tarde.
  Cierra muy pronto.

- *ask for information, clarification, or repetition* .... ☐ ...... ☐
  ¿Puede repetir, por favor?
  ¿Puede hablar más despacio?
  ¿Puede darme información, por favor?

- *attract someone's attention* .... ☐ ...... ☐
  Por favor.
  Perdone.
  Oiga, señor.

- *describe places* .... □ ..... □
  Es muy grande.
  Es pequeño.
  Es muy interesante.

- *ask and say what day it is today* .... □ ..... □
  ¿Qué día es hoy?
  Hoy es domingo.

- *say the days of the week* .... □ ..... □

- *say ordinal numbers up to fifth* .... □ ..... □

Learning tips

When you learn directions it will help you if you do the movements required by the word or phrase you are learning at the same time you read it or repeat it. For example: to the left, point left; or draw maps with different itineraries and test yourself.

Do you want to learn more?

Collect Spanish-language brochures for hotels and tourist attractions. They often give written instructions as well as maps showing how to get there. See how many of the instructions you recognize.

Unit 5 will introduce you to some language for shopping. By the end, you'll know how to:

- ask where you can get an item
- describe what you are looking for
- make a purchase

De compras

5

Word Bank

el aceite	oil	la lechuga	lettuce
el azúcar	sugar	el litro	liter
la barra de pan	loaf of bread	la manzana	apple
el bote	jar	medio kilo	half a kilo
la caja	box	la merluza	hake
el cordero	lamb	la mermelada	marmalade
¿Cuánto/a?	How much?	el panecillo	(bread) roll
el cuarto (kilo)	quarter (kilo)	el paquete	packet
la docena	dozen	el pepino	cucumber
la galleta	biscuit/cookie	la sal	salt
el gramo	gram	la salchicha	sausage
el huevo	egg	el salmón	salmon
el jamón	ham	la sardina	sardine
el kilo	kilo	la trucha	trout
la lata	can	la zanahoria	carrot
la leche	milk		

En el mercado

1. *Ana is doing her shopping at the grocery store. Look at the illustration below. Check the items she buys, and cross out those not mentioned.*

Listen again and put the items in order. Can you then indicate the quantities?

¿En qué puedo servirle?	Can I help you?
¿Cuánto/a quiere?	How much do you want?
¿Cuántos/as quiere?	How many do you want?
¿Quiere alguna cosa más?	Would you like anything else?
¿Cuánto es todo?	How much is everything?
Son... pesetas.	It's... pesetas.

Did You Know?

In Spain and Latin-American countries, the market is an essential part of daily life. You not only go there to shop but also to meet your friends and socialize. There are open-air markets and indoor halls where you can find a variety of stalls, called **puestos**, which sell nearly everything. You might want to try some **jamón serrano** (a kind of smoked ham), **chorizo**, a spicy red sausage or **salchichón** (salami).

2.

Listen to four people buying in other shops in the market. Look at the illustrations of the four shops. Can you tell which dialogue corresponds to which shop?

Listen again and fill in the chart.

¿Qué desea?   *What would you like?*

Tenga.   *Here you are.*

a. _____

b. _____

c. _____

d. _____

	Tienda	Artículo	Cantidad
1.			
2.			
3.			
4.			

3. *Listen to the dialogue again and play the part of the customer.*

4. *It's time to pay. Look at the numbers from 200 to 1000.*

Numbers from 200 have a masculine and a feminine form up to 1000 according to whether they accompany or refer to masculine or feminine forms: **cuatrocientos dólares, doscientas pesetas.**

Mil, *1000 doesn't change. Listen to them and repeat:*

200	doscientos/doscientas
300	trescientos/trescientas
400	cuatrocientos/cuatrocientas
500	quinientos/quinientas
600	seiscientos/seiscientas
700	setecientos/setecientas
800	ochocientos/ochocientas
900	novecientos/novecientas
1.000	mil

Note: The **y** *(and) doesn't come between the hundreds and the tens, but between the tens and the units:*

210	doscientos diez
335	trescientos treinta y cinco
330	trescientos treinta
450	cuatrocientos cincuenta
545	quinientos cuarenta y cinco
678	seiscientos setenta y ocho
981	novecientos ochenta y uno

Your turn

Use the list you've prepared in Activity 2 to do your shopping. Listen to the shop assistant and play the part of the customer. Utilize the various ways of asking the price and for assistance using as much of the vocabulary as you have learned. You can try different shops: **pescadería, panadería, frutería.**

Dependienta:	¿Qué desea?
Usted:	
Dependienta:	Aquí tiene. ¿Algo más?
Usted:	
Dependienta:	Sí, tenga. ¿Alguna cosa más?
Usted:	
Dependienta:	Novecientos cincuenta pesos.

Close up

To ask for quantities in Spanish, use **¿Cuánto?** *(How much?) when it accompanies or refers to masculine nouns:*

> **¿Cuánto pan?** How much bread?

Use **¿Cuánta?** *with feminine nouns:*

> **¿Cuánta leche?** How much milk?

To ask "How many?" use:

Cuántos *for masculine nouns:*

> **¿Cuántos huevos?** How many eggs?

Cuántas *for feminine nouns:*

> **¿Cuántas galletas?** How many cookies?

La ropa

Shopping for clothes

W o r d   B a n k

el abrigo	overcoat	gustar	to please, to like
aceptar	to accept	largo/a	long
la blusa	blouse	más	more
la caja	cash register	mirar	look
la camisa	shirt	oscuro/a	dark
la camiseta	tee-shirt	pagar en efectivo	to pay in cash
la cara	face	el pantalón/los pantalones	trousers
el documento de identidad	identity card	los pantalones vaqueros	jeans
caro/a	expensive	pensar	to think
la cazadora	(sports) jacket	el precio	price
la chaqueta	jacket	rayas, a rayas	stripes, striped
claro/a	light, clear	el suéter	sweater
la corbata	tie	la talla	size
corto/a	short	la tarjeta de crédito	credit card
demasiado	too (much)	el tipo	type
demasiados/as	too many	el traje	suit
estampado/a	patterned	ver	to see
la falda	skirt		
firmar	to sign		

Los colores	Colors		
amarillo/a	yellow	naranja	orange
azul	blue	negro/a	black
beige	beige	rojo/a	red
blanco/a	white	rosa	pink
gris	gray	verde	green
marrón	brown		

1. *Listen to the items that Fernando buys and mark them in the shop window. Write down the colors, sizes and prices in your notebook. What do you think the total amount is?*

¿Tiene... en azul?	*Do you have (it)...in blue?*
¿Qué talla usa?	*What size do you wear?*
La quiero más grande.	*I want it bigger.*
La quiero./Me la quedo.	*I want it./I'll take it.*
¿Qué precio tiene(n)...?	*What price is this.../are these...?*
¿En qué color/colores...?	*What color/colors...?*
¿Tiene... en la talla cuarenta?	*Do you have it...in size forty?*
Los quiero en blanco.	*I want them in white.*
¿Puede firmar aquí?	*Can you sign here?*
¿Aceptan tarjetas de crédito?	*Can I pay with a credit card?*

2. *Listen to three more customers shopping for clothes. One of them doesn't buy anything. Which one? Listen a second time and fill in the chart for each customer.*

Ropa	Color	Talla	Precio
1.			
2.			
3.			

3.

Look at the page from this clothes catalog and match the labels to the models.

1. chaqueta azul y falda de color beige _____

2. pantalones verdes, chaqueta verde y blusa blanca _____

3. pantalones vaqueros, chaqueta verde y camiseta a rayas verdes, blancas y naranjas _____

4. traje gris, camisa rosa claro y corbata estampada azul y rosa _____

Your turn

Think of a few clothes you would like to buy. Play the part of the customer.

Dependienta:	**¿En qué puedo servirle?**
Cliente:	***Say that you want that sweater in black.***
Dependienta:	**No, lo siento, sólo lo tenemos en rojo. ¿Qué le parece?**
Cliente:	***Say that you like it a lot.***
Dependienta:	**¿Qué talla usa?**

Cliente:	*Say it is size 38.*
Dependienta:	¿Le gusta?
Cliente:	*Say that you like it, but you need a larger size. Ask about the price.*
Dependienta:	Novecientos pesos.
Cliente:	*Ask whether you can pay with a credit card.*
Dependienta:	Sí. ¿Puede firmar aquí, por favor?

Close up

To say "I like" in Spanish use **me gusta** *if the object, action or person you like is one or singular, and* **me gustan** *if you like more than one object or person:*

> **Me gusta** el abrigo.　　　　　**Me gustan** los abrigos.
>
> **Me gusta** este queso.　　　　　**Me gustan** los quesos españoles.

To express the second person: "you like," say: **te gusta** *or* **te gustan**:

> **¿Te gusta** la fruta?　　　　　**¿Te gustan** las naranjas?

And for the third person, "he/she likes," and the formal **usted**, *use* **le gusta**, **le gustan**:

> **Le gusta** el jamón.　　　　　**Le gustan** las galletas.

The direct object pronoun "it" is expressed in Spanish in many ways.
For the singular: **lo** *is masculine and* **la** *is feminine.*
For the plural: masculine **los**, *and feminine* **las**.

Examples:　Quiero **este suéter.**　　　¿En qué color **lo** quiere?

　　　　　Quiero **esta camisa.**　　　¿En qué color **la** quiere?

　　　　　Quiero **estos pantalones.**　¿En qué color **los** quiere?

　　　　　Quiero **estas blusas.**　　　¿En qué color **las** quiere?

Centro Comercial: Galerías

Shopping at the mall

Word Bank

el anillo de diamantes	diamond ring		el perfume	perfume
el artículo	article		la perfumería	store specializing in perfumes and cosmetics
barato/a	cheap			
el bolso	handbag		la plancha de viaje	travel iron
el calcetín	sock		la planta baja	ground floor
la calidad	quality		el plato (de cerámica)	(ceramic) plate
la cerámica	ceramic pottery		la playa	beach
la crema (bronceadora)	(suntan) lotion		la raqueta de tenis	tennis racket
el deporte	sport		rebajado/a	reduced (in price)
envolver	to wrap		las rebajas	(special) sales
especial	special		reducido/a	reduced
flojo/a	loose		el regalo	gift
las gafas de sol	(pair of) sunglasses		la ropa	clothes, clothing
la ganga	bargain		la sandalia	sandal
la gorra	hat		el secador	hair dryer
los grandes almacenes	department stores		la sección	section
el hogar	home		el tamaño	size
igual	the same		la toalla	towel
la marca	brand, make		el ventilador	fan
mediano/a	medium		el verano	summer
mejor	better, best		el zapato	shoe
mismo/a	the same			
la oferta	(special) offer			

1. *We are in a big store:* **Los grandes almacenes Galerías.** *Listen to the following dialogues in which people buy things. Complete one part of the chart for each dialogue.*

Artículo	Tamaño	Color	¿Lo/La compra? Sí / No	Precio
1.				
2.				
3.				
4.				
5.				

¿Tiene más pequeñas?	*Do you have smaller ones?*
Son un poco más pequeñas.	*They are a bit smaller.*
¿Se las envuelvo?	*Shall I wrap them?*
¿Es de piel?	*Is it leather?*
Lo pensaré.	*I'll think about it.*

2. *Listen to the weekly specials at* **Galerías.** *Look at the picture, list the items in the order in which they are mentioned, and write down the price of each one.*

a mitad de precio	*half price*
a precio reducido	*reduced price*
Tenemos en oferta especial...	*We have on sale...*
Venga a...	*Come to...*

3. *Follow the directions in the dialogue and play the part of the customer.*

Dependienta:	¿Qué desea?
Usted:	*Say you want a tennis racquet.*
Dependienta:	¿De qué tamaño la quiere?
Usted:	*Say you don't know. It's for your 11-year-old daughter.*
Dependienta:	Mire, ésta es la más pequeña que tenemos.
Usted:	*Ask for one a bit bigger.*
Dependienta:	Tenemos ésta de tamaño mediano.
Usted:	*Say you like it. Ask for the price.*
Dependienta:	Dos mil quinientos.
Usted:	*Ask if it's reduced.*
Dependienta:	Sí, está rebajada.

4. *You are on vacation and want to buy some presents. Make a shopping list. Choose what you would like to buy for your family and friends. Decide the color and size of the items, and how much you want to spend.*

Example: Un bolso negro pequeño de 3.000 pesetas para mi madre.

Your turn

You are really unlucky today and you lose all your presents and some other things you have bought. Go to lost and found and describe everything you lost. Use the following as a guide and then use items from those you have learned.

Example: big size/red/hat/1.000 pesos worth
Una gorra roja de tamaño grande que cuesta mil pesos.

Continúe:

1. *sunglasses/dark blue/small/700 ptas.*
2. *new shoes/black/size: 40/3.000 pesos*
3. *medium/leather/brown/bag/4.000 ptas.*
4. *big/white/very expensive/tennis racket*

Pronunciation

The consonant **r** *is pronounced differently depending on where it is in a word. If it occurs at the beginning of a word, the sound is strong and rolled:*

> ropa, rebajas, reducido

If it occurs in the middle of a word, between two vowels, the sound is softer and is not rolled:

> quiero, zanahoria, parece, claro, caro, vaqueros

When a rolled **r** *occurs between vowels, it is written* **rr**:

> barra, marrón

If the **r** *occurs between a consonant and a vowel, or a vowel and a consonant, or at the end of a word, the* **r** *sound is rolled and is softer than when it occurs at the beginning of the word:*

> mercado, azúcar, grande, litro, sardina

Close-up

In Spanish, adjectives that express quality are usually placed after the noun. This is also the case with colors. As adjectives, they also change gender (masculine/feminine) and number (singular and plural) depending on the noun they accompany:

> **la camisa blanca**
>
> **las camisas blancas**
>
> **los pantalones blancos**

Comparatives in Spanish use **más**, **más**... **que** *(more, more...than)*

> **La quiero más grande.**
>
> **El bolso negro es más barato que el azul.**

Checkpoints

Can you...?   Yes   No

- *ask for quantities and/or things in shops* .... ☐ ...... ☐
  Deme medio litro de aceite, por favor.
  Póngame un kilo de manzanas.
  Una docena de huevos, por favor.
  Quiero dos barras de pan.
  Quiero una raqueta de tenis.
  Por favor, ¿dónde hay bronceadores?
  ¿Puede enseñarme las gafas de sol?
  ¿Cuánto azúcar quiere?
  ¿Cuánta leche quiere?
  ¿Cuántas galletas quiere?
  ¿Cuántos huevos quiere?

- *count the numbers from 200 to 1000* .... ☐ ...... ☐

- *ask what color something is or what colors you'd like* .... ☐ ...... ☐
  ¿De qué color la tiene?
  ¿De qué color los quiere?

- *ask for an opinion* .... ☐ ...... ☐
  ¿Qué le parece?
  ¿Le gusta la camisa?
  ¿Le gustan las sandalias?

- *give an opinion and express likes or dislikes
  and preferences* .... ☐ ...... ☐
  Me gusta.
  Me gustan mucho.
  Es un poco caro.
  Es demasiado caro.
  Me gusta más el negro, pero el marrón también es bonito.
  La quiero más grande.

- *request something or ask for information* .... ☐ ...... ☐
  ¿Tiene más pequeñas?
  ¿Puede enseñarme uno de tamaño más grande?

- *ask and talk about sizes for clothes, shoes, and objects* .... ☐ ...... ☐
  ¿Qué talla usa?
  ¿Tiene los rojos en la talla cuarenta?
  ¿Qué número usa?
  Quiero ésta de tamaño mediano.

- *ask for the price of things and the way to pay for them* . . . . ❑ . . . . . ❑
  ¿Qué precio tiene?
  ¿Cuánto cuestan estos pantalones cortos?
  ¿Aceptan tarjetas de crédito?

- *say you will take or buy something* . . . . ❑ . . . . . ❑
  Me lo quedo.
  Me los llevo puestos.

- *refuse help in a store or explain you don't want to
  buy something* . . . . ❑ . . . . . ❑
  No sé. Quiero pensarlo.
  Lo pensaré.

Learning tips

*To help you learn vocabulary for everyday objects you can label
some things in your home in Spanish and look at their Spanish
name every time you use them. You might also put labels on the
drawers and shelves where you keep your clothes with the names
of the items you keep in them. Or, if you go shopping, make your
shopping list in Spanish, and in the supermarket or the store try
to remember the names of the items you see on the shelves.*

Do you want to learn more?

*Look up the Spanish names of items around your home or office
in a dictionary. Then write out name tags in Spanish and attach
them to the items. Self-adhesive notes are ideal for this, as they're
easy to peel off.*

ESTACIÓN

Unit 6 will introduce you to some language for travel. When you have completed this unit, you will know how to:

- ask information about trains and buses

- make train reservations and buy tickets

- deal with driving and car problems

De viaje

6

Word Bank

a pie	*on foot*	libre	*free*
a todas partes	*everywhere*	la línea	*the line*
el abono	*travel card*	llevar	*to take*
andar	*to walk*	el metro	*subway*
avisar	*to tell*	el norte	*north*
bajar (del autobús)	*to get off (the bus)*	la parada	*stop*
el billete	*ticket*	Pues...	*Well...*
cambiar	*to change*	el recibo	*receipt*
dar	*to give*	el taxi	*taxi*
deber	*must, ought to*	viajar	*to travel*
ir	*to go*	el viaje	*trip*

Un billete, por favor

Getting around

1. *Listen to the dialogue in the street and on the bus.*
Answer the following questions.

1. *Where does Pedro want to go?*

2. *Is it near enough to walk there?*

3. *What bus should he take?*

4. *Where is the bus stop?*

5. *How much is the fare?*

6. *What does Pedro ask the bus driver?*

Tiene que...	You have to...
¿Puedo ir a pie?	Can I walk (there)?
Andando.	Walking.
Ir en autobús.	To go by bus.
Tengo que...	I have to...
Lo lleva hasta...	It takes you to...
¿Puede avisarme...?	Can you let me know...?
No se preocupe.	Don't worry.

DidYouKnow?

*In Spain, a ticket is a **billete**, and a bus is called **autobús**. In Puerto Rico, a bus is a **guagua** and in Mexico a **camión**. In Mexico, there are also minibuses called **peseras** that you can stop anywhere you like. You have to tell the driver where you are going and you pay accordingly. You can pay when you get off the bus. They are called **peseras** because they used to cost one **peso**. A **combi** also offers a similar service of taxi or minibus.*

In Spain, the bus fare is the same regardless of where you travel or on what bus you ride.

*There is a subway system in Madrid, Barcelona, Seville, and Bilbao. The underground system is called the **Metro**, a short version of the original name **Metropolitano**.*

2.

Listen to the dialogues. Write the number of each dialogue under the corresponding illustration.

a. _____   b. _____   c. _____

Listen again and say whether the following statements are true or false.

1. La señora no tiene que cambiar de línea para ir a la estación de Bellas Artes.

2. Bellas Artes está en la línea azul.

3. Bellas Artes está en dirección norte.

4. En total son tres estaciones hasta Bellas Artes.

5. El taxi va al número 220 de la avenida de Los Insurgentes.

6. La avenida de Los Insurgentes es muy larga.

7. El viaje en taxi cuesta diez pesos.

8. Un abono vale dos pesos.

9. Vale para doce viajes.

10. Con el abono sólo se puede viajar por el centro de la ciudad.

¿Qué línea me lleva a . . . ?	What line takes me to . . . ?
¿Hay que cambiar de línea?	Do I have to change?
Tome la línea . . .	Take the . . . line.
. . . e n dirección	to . . .
¿Puede darme . . . ?	Could you give me . . . ?
¿Está libre?	Are you taking passengers? (lit. Are you free?)
¿Puede llevarme a . . . ?	Could you take me to . . . ?
¿A qué número va?	What number are you going to?

3. *Listen again to Dialogue 2 from Activity 2 and repeat the part of Jorge. Then take a taxi!*

Jorge:	*Ask if he is free.*
Taxista:	Sí.
Jorge:	*Ask if he can take you to Valencia Avenue.*
Taxista:	Sí, claro. Pero es una avenida muy larga, ¿a qué número va?
Jorge:	*Say, to number 175. Ask if he knows where that is.*
Taxista:	Sí, está al final de la avenida.
Jorge:	*Ask how much you owe him.*
Taxista:	Son seiscientos cincuenta pesos.
Jorge:	*Say, "Here you are." Ask if you can have a receipt.*
Taxista:	Sí, un momento... Aquí tiene.

4. *Write a postcard to a friend. You want to visit his/her town and want to find out how to get around. Ask how much an abono costs, how many trips it is good for and if you can use it to travel anywhere in town. Ask also if there is a subway in the town and whether the taxis are expensive.*

Use the Word Bank and the expressions on pages 84–85 to help you. Listen to the dialogues from Activity 2 if necessary.

Your turn

You find yourself in the following situations. What would you say in Spanish?

1. Ask someone how much an abonobus costs and for how many trips it can be used. Ask where you can travel with it and buy one.

2. You want to go to Plaza Gracia. Ask someone if it is necessary to take the bus or if it is possible to walk there. Ask where you can catch the bus and whether you must have the exact change to board it.

Close-up

Verbs followed by the infinitive

Poder *plus infinitive means "to be able to" and "can":*

Este año **puedo ir** de vacaciones a España.

This year I can go on vacation to Spain.

Querer *means "to want" and "would like":*

Quiero ir al cine esta tarde.

I want to go to the movies this afternoon.

Tener que *means "to have to" and "must":*

Tengo que estudiar para el examen.

I must study for the exam.

Hay que *means "one must" and "it is necessary":*

Hay que cuidar los parques.

It is necessary to look after the parks.

En la estación de tren

Asking for train information

Word Bank

el asiento	seat	el pasaporte	passport
el autobús de línea	coach bus	el peso	peso (Mexican currency)
la bolsa	bag	previsto/a	due
cansado/a	tired	procedente de...	arriving from...
el coche-restaurante	dining car	la puerta	gate
la clase	class	rápido/a	fast, express train
de ida y vuelta	round-trip	reservar	to reserve
el destino	destination	el retraso	delay
el embarque	boarding	sacar (billete)	to buy (a ticket)
la entrada	way in	salir	to leave
el equipaje	luggage	Talgo	type of fast intercity train (In Spain)
el equipaje de mano	hand luggage		
estacionado/a	parked	tardar	to take time
la facturación	check-in	el tren	train
fumador/a	smoking (section)	el tren tranvía	kind of local train that stops in all stations
ida	one-way		
Intercity	Intercity	la vía	platform
la llegada	arrival	el/la viajero/a	passenger
lleno/a	full	volver	to return
el mostrador	counter	el vuelo	flight
parar	to stop	la vuelta	return

Listen to the dialogue and check that the details on the ticket are correct. Change those details which are incorrect.

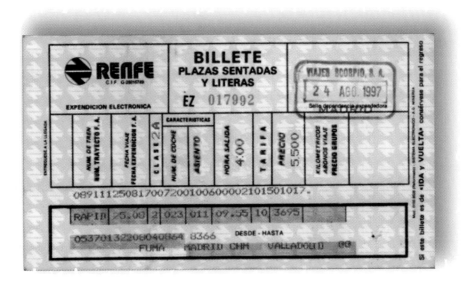

¿A qué hora hay trenes para...?	At what time are there trains to...?
¿Cuál es más rápido?	Which one is faster?
Sólo para en...	It only stops in...
Antes de llegar a...	Before arriving in...
Para en todas las estaciones.	It stops in all stations.
Es más barato.	It's cheaper.
Llega a...	It arrives at...
Un billete de ida y vuelta para...	A round-trip ticket to...

Listen to these four conversations. Where and when do they take place: before, during, or after the journey?

De la vía...	From platform...
¿Puedo llevar...?	Can I take...?
¿Se puede comer ahora?	Can I eat now?
¿Hay trenes para ir a...?	Are there trains going to...?
Puede ir usted en...	You can go by...
¿Puedo sacar el billete ahora?	Can I get the ticket now?
(No) Es necesario.	It is (not) necessary.

TREN	PROCEDENCIA	DESTINO	HORA DE LLEGADA	HORA DE SALIDA	VÍA	INFORMACIÓN

Con destino a...	*To... (literally: destination)*
Estacionado en...	*Parked at...*
Sale...	*It leaves...*
Tren procedente de...	*Train arriving from...*
Tiene prevista su llegada a...	*It is due to arrive at...*
Por vía...	*On platform...*
Llegará con... de retraso.	*Will arrive (...minutes) late.*
Hará su entrada en esta estación a las...	*Will arrive at the station at...*
Cancelado el tren...	*The (train) is canceled...*

Your turn

You like to travel a lot. What do you say in the following situations?

1. *You want to travel to Toledo today. Ask if there is a train leaving for Toledo this afternoon. Ask what time it departs and what time it arrives in Toledo.*

2. *You want to go to Segovia. You need to know the types of train service, and the departure times for trains traveling to Segovia on Sunday.*

3. *Ask for a reservation for a round-trip ticket to Barcelona. Give a departure date and time as well as a return date and time. You want to know the fare for a second-class ticket in the non-smoking section of the train.*

Close-up

Prepositions

To talk about means of transportation, use the verb **ir**, "to go" plus the preposition **en**.

En autobús (by bus), **en taxi** (by taxi), **en metro** (by subway), **en coche** (by car), **en bicicleta** (on a bike), **en moto** (on a motorcycle), but **a pie** (on foot).

Other prepositions that express direction are: **a**, **para**, **de**, and **hasta**.

a *to:*	Voy **a** Madrid.	*I'm going to Madrid.*
para *to, for:*	Un billete **para** Bilbao.	*A ticket to Bilbao.*
de *from:*	El tren sale **de** Barcelona a las tres.	*The train leaves from Barcelona at three o'clock.*
hasta *as far as:*	Voy **hasta** Málaga.	*I'm going as far as Málaga.*

A, **de**, **hasta** can also indicate time.

a *at:*	**A** la una de la tarde.	*At one P.M.*
de *in:*	Llegó a las tres **de** la tarde.	*He arrived at three in the afternoon.*
	Viajó **de** las tres **a** las siete sin parar.	*He traveled from three o'clock until seven without stopping.*
hasta *until:*	El tren no sale **hasta** las cinco.	*The train doesn't leave until five o'clock.*

Comparatives

más... que—*more...than:*

El Talgo es **más** rápido **que** el Tranvía.	*The Talgo is faster than the Tranvía.*

menos... que—*less...than:*

Pero el tren Tranvía es **menos** caro **que** el Talgo.	*But the Tranvía is less expensive than the Talgo.*

Alquiler de coches

Renting a car

Word Bank

el accidente	*accident*		extraño/a	*strange*
el aeropuerto	*airport*		el gasóleo	*diesel fuel*
alquilar	*to rent*		la gasolina	*gasoline*
arreglar	*to repair*		la gasolina sin plomo	*unleaded gasoline*
la autopista	*turnpike (toll road)*		incluido/a	*included*
el carnet de conducir	*driver's license*		el kilómetro	*kilometer*
la carretera	*highway*		limpiar	*to clean*
el coche	*car*		la matrícula	*registration*
comprobar	*to check*		el motor	*engine*
dejar	*to leave*		el parabrisas	*windshield*
el depósito	*tank*		la puerta	*door*
devolver	*to return, to give back*		el recibo	*receipt*
echar	*to put*		la rueda	*wheel*
en seguida	*immediately*		súper	*high octane*
esperar	*to wait*			

1.

Listen to the dialogue about Sr. Ruiz renting a car. Look at the brochure from the car rental company and check the car he rents. For how long does he want to rent the car? What documents does the car rental employee require? What does Sr. Ruiz ask at the end of the dialogue?

BALEARES **MALLORCA** **IBIZA** **MENORCA**		N.º de puertas N.º doors	Radio	Dirección asistida Power steering	Aire acondicionado Air conditioned	Automático Automatic	TARIFA - RATES	
							Por día Per day Kms. ilimit.	Por semana Per week Kms. ilimit.
A	Seat LX 1.0	3	•				5.000	24.900
B	Renault 1.2	3	•				5.460	32.760
C	Renault 1.3	5	•				7.000	39.300
D	Ford Orion CL 1.4 Opel Kadett GL 1.3	4	•				7.640	45.840
E	Ford Orion CL 1.6	4	•			•	9.180	55.080
F	Citroen BX 16 TRS	4	•		•		11.000	62.880
H	Ford Sierra 2.0 Renault 21 TXE 2.0i Nissan Bluebird SLX 2.0	4 4 4	• • •	 • •	• • •		12.180	73.080
I	Citroen CX 25 GTI (1)	H	•	•	•	•		
DESCAPOTABLE - OPEN ROOF								
O	Suzuki SJ 410	2	•				8.410	50.460
EQUIPO ESPECIAL*								
K	Mercedes 230E (')	4	•	•	•	•		
MINIBUS*								
P	Ford Transit Minibus (1)	4	•					

Quiero alquilar un coche.	*I would like to rent a car.*
¿Puede darme...?	*Can you give me...?*
¿Qué tipo de coche?	*What type of car?*
¿Para cuántos días?	*For how many days?*
Para tres días.	*For three days.*
¿Hay que echar gasolina?	*Is it necessary to put in gasoline?*

2.

Listen to two other people renting cars. Look at the brochure and decide which car they chose.

de tres puertas	*with three doors*
para tres días	*for three days*
por día	*a day*
¿Está incluida la gasolina?	*Is the gasoline included?*
Tiene que devolver(lo)...	*You have to return (it)...*

3.

Listen to the following dialogue and play the part of the client.

Cliente:	*Say that you would like a big, five door car.*
Empleada:	Tenemos este Citroen, es muy grande. ¿Le gusta?
Cliente:	*Say "yes" and ask how much it is.*
Empleada:	Once mil pesetas por día.
Cliente:	*Ask if the gasoline is included.*
Empleada:	No, la gasolina no está incluida, tiene que devolver el depósito lleno.
Cliente:	*Say it's OK, and that you would like the Citroen. Ask if it has any gasoline now.*
Empleada:	Sí, el depósito está lleno.
Cliente:	*Ask if you can take the car back to the airport.*
Empleada:	Sí, claro.

4.

You are traveling by car and need gasoline. Listen to the three conversations in the gas station. Read the three receipts to determine which one corresponds to each conversation. What extra services did they need to have done?

a. _____   b. _____   c. _____

Pronunciation

In Spanish, **ll** is pronounced as one consonant: **ll**, but its pronunciation varies in different parts of Spain and Latin America. It also varies often from person to person and even the same person might pronounce it differently on different occasions.

Traditionally it is pronounced: **ll**: **lleno, billete**, but it is a lot more common to hear it pronounced **y**: **lleno** (=yeno), **billete** (biyete). Therefore, the pronunciation of **ll** and **y** is the same: **Yo llamé a Yolanda.**

In some Latin American countries, especially in Argentina, the pronunciation of **ll** and **y** is the same and it is strong, almost like the English sound "sh:"

Allí está la llave.

Listen to the two dialogues and concentrate on the way the **ll** is pronounced.

Close up

The verb **estar**, "to be," is used in the following cases:

Está lleno/libre.	It's full/free.
Está incluido.	It's included.
Está bien/mal.	It's good, alright/bad.

Checkpoints

Can you...?	Yes	No

- *buy a ticket* .... ☐ ..... ☐
  Deme un boleto, por favor.
  Deme un billete de ida y vuelta en el Talgo.

- *ask for information about how to get to a place in town* .... ☐ ..... ☐
  ¿Puedo ir a pie?
  ¿Qué camión/autobús tengo que tomar?
  ¿Sabe usted dónde está la parada?
  ¿Puede avisarme cuándo tengo que bajar, por favor?
  ¿Cuánto vale un abono?
  ¿Para cuántos viajes sirve?

- *ask for information in the subway* .... ☐ ..... ☐
  ¿Puede decirme qué línea me lleva a la estación Bellas Artes?
  ¿Hay que cambiar de línea?

- *tell the taxi driver where to take you* .... ☐ ..... ☐
  ¿Está libre?
  ¿Puede llevarme a la avenida de Los Insurgentes, por favor?
  ¿Cuánto le debo?
  ¿Me da un recibo, por favor?

- *ask for information about trains or buses* .... ☐ ..... ☐
  ¿A qué hora hay trenes para Valladolid mañana?
  ¿Cuál es más rápido?
  ¿Cuánto tiempo tarda?
  ¿De qué vía sale el tren?
  ¿Lleva retraso?

- *make a reservation* .... ☐ ..... ☐
  ¿Puedo reservar un asiento?
  En segunda clase.
  No fumador.

- *say when the train arrives and leaves* .... ☐ ..... ☐
  El tren llega a las tres de la tarde.
  El tren sale a la una y media.

- *ask for train services* .... ☐ ..... ☐
  ¿Dónde está el coche-restaurante?
  ¿Se puede comer ahora?

- *rent a car* .... □ ..... □
  Quiero alquilar un coche. Uno pequeño.
  Quiero un coche grande, de cinco puertas.
  ¿Cuánto cuesta el Renault?
  ¿Hay que echar gasolina?
  ¿Está incluida la gasolina en el precio?
  ¿Tiene gasolina ahora?
  ¿Puedo devolver el coche en el aeropuerto?

- *buy gasoline* .... □ ..... □
  Lleno, por favor.
  Gasóleo, por favor.
  Gasolina sin plomo.

- *ask for other services at the gas station or the garage* .... □ ..... □
  ¿Puede comprobar el aceite?
  ¿Puede limpiar el parabrisas?

Learning tips

Make three lists of vocabulary words: one for urban transportation, another one for suburban transportation, and a third one for road travel. Write down all the words you have learned and remember. Go back to the unit and check them, add some more words to your list. Classification of vocabulary items into categories will help you to memorize the words.

Do you want to learn more?

Obtain some street, subway, and bus maps for cities in Spanish-speaking countries. Study the names of the major sights you'd like to visit, the streets on which they are located, and the major subway stations. Practice using the phrases you would need to travel on public transportation to and from different places.

Unit **7** is about your home and your daily routine. When you have completed this unit, you will know how to:

- describe your home
- describe your daily routine

Tome posesión de su casa

7

Word Bank

afuera	outside	el estudio	study
las afueras	suburbs	la flor	flower
al otro lado de	on the other side of	el garaje	garage
aparte	separate	general	general
arriba	upstairs	la habitación	room
el ascensor	elevator	el inmueble	apartment building
el barrio	neighborhood, district	jugar	to play
la bañera	bathtub	el lavabo	wash basin
la casa	house	más bajo	lower down
claro que	of course	Me encanta...	I love...
la cocina	kitchen	necesitar	to need
el comedor	dining room	por eso	therefore
comer	to eat	por lo menos	at least
cómodo/a	comfortable	por supuesto	of course
completamente	completely	preparar	to prepare
el cuarto de baño	bathroom	la sala de estar	living room
dar a	to look on to, to lead on to	secar (la ropa)	to dry (clothes)
el desván	attic	sentarse	to sit down
doble	double	el sitio	place, room (to)
el dormitorio	bedroom	el sótano	basement, cellar
la ducha	shower	el techo	roof
encontrarse	to meet, to be found	la terraza	terrace, balcony
la escalera	staircase, stairs	todo	everything
espacioso/a	spacious	ver	to see
		el vestíbulo	entrance hall

S e alquila casa

Renting a house

1. *Listen to Sra. Gutiérrez speaking to her friend Sra. Molina about her new house.*

2. *Listen to the conversation again and say if the following statements about the conversation are true or false. Then correct the false statements.*

1. La Sra. Gutiérrez vive en un piso.
2. La casa de la Sra. Gutiérrez es muy nueva.
3. La familia Gutiérrez come en la sala de estar.
4. La cocina está al lado de la sala de estar.
5. La casa tiene cuatro dormitorios.
6. En la casa hay dos cuartos de baño.
7. La casa tiene una terraza.
8. El garaje es pequeño.

3. *Now listen to some people talking about the houses or apartments they live in. Check off the places you hear in the house or apartment.*

	sala de estar	cocina	comedor	cuarto de baño	dormitorio	terraza	jardín
1.							
2.							
3.							

4. *Three clients who want to buy or rent an apartment telephone a real estate agency. Match the ad to the client. Say which ad belongs to each conversation.*

Barrio Las Condes
¡Oportunidad!
Piso en edificio moderno con una gran sala de estar, dos dormitorios y cocina pequeña. Cerca del metro.
Propiedades Maravilla

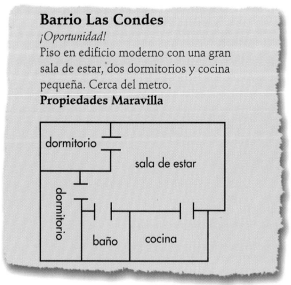

a. _____

Mar de Plata
En el Centro
Piso moderno y bonito en décimo piso.
Un dormitorio, sala de estar, comedor, baño y cocina.
Corredores Sarmiento

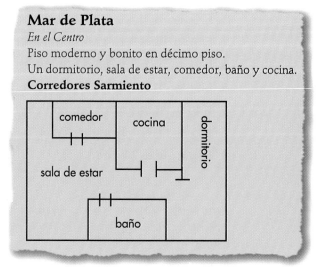

b. _____

Lo mejor de Bailén
Enorme piso de 5 dormitorios, sala de estar, pieza de estudio, dos baños, comedor y garaje doble. Excelente zona escolar.
**Dos estrellas, S.A.

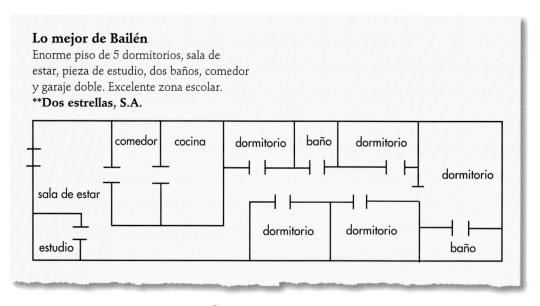

c. _____

Now repeat the part of each of the clients.

5. *You are making notes for a real estate agent about the sort of house or apartment you would like to buy. Draw a simple layout plan and then write a description of it in Spanish.*

Your turn

You are having dinner with a friend who is very interested in your new house. Tell him about it: the rooms it has, where they are, their size, if you have a garage, or garden. How much can you say about it?

You want to buy an apartment in a Spanish shore resort. Can you remember the questions that you want to ask the real estate agent?

Close up

You used **me gusta**, *"I like"* in Unit 5. If you want to express yourself a little more strongly and say you absolutely love something, use **me encanta** in exactly the same way:

Me encanta esta casa.	*I love this house.*
A ella le encantan estas habitaciones.	*She loves these rooms.*

Don't use this expression for people, however. Use **quiero**:

Quiero mucho a Jaime.	*I love Jaime very much.*

La casa nueva

Describing your new house

Word Bank

el aparador	cabinet	la mesita de café	coffee table
la baldosa	floor tile	necesitar	to need
bonito/a	pretty, nice	no funciona	doesn't work
la butaca	armchair	la pantalla	screen
la cortina	curtain/drape	la pared	wall
el descuento	discount, reduction	la persiana	blind
el dinero	money	por ciento	percent
el espejo	mirror	por lo general	usually, generally
estar roto/a	to be broken	¡Qué suerte tienes!	Aren't you lucky!
hermoso/a	beautiful	la sábana	sheet
la lámpara	lamp	el sofá	sofa
la luz	light	el televisor	television set
la manta	blanket	todos los días	every day
la maravilla	wonderful		

RECORDING

1. *Sra. Gutiérrez shows her new house to her friend Sra. Molina. She has bought a lot of new furniture and is eager to show it off. Listen to the entire conversation.*

2.

Listen to the dialogue again. Match the furniture to the room it is in.

	la sala de estar	el comedor	el estudio	los dormitorios	el cuarto de baño	el pasillo
el aparador						
las butacas						
el escritorio						
la lámpara						
los azulejos						
la alfombra						
la mesa grande						
las camas						
el sofá						
el televisor						
la mesita de café						
las cortinas						
las sillas						

3.

1. *Listen to this advertisement for the furniture store Mendoza Furnishings. First, try repeating the ad to see how well you would do as a salesperson in Spanish. Then write down what furniture the store has on sale, what reductions they offer, and how long the sale will last.*

2. *Carmen dreams about her wedding and the furniture she wants for her apartment. What furnishings does Carmen want, and where does she want them to be placed? Now dream along with Carmen, repeating what she says.*

3. *Alfredo and his wife, Merche, are talking about the furniture they are going to buy for their new apartment. Listen to them, then write down what they need. Why does Alfredo have second thoughts?*

4.

You've bought an apartment. Make a list of furniture you'll need for each room.

5. *Word Jumble. Find the eight hidden words.*

C	S	I	M	E	I	A	T
E	O	V	D	P	C	A	C
U	F	R	R	A	O	M	A
S	A	A	T	I	S	E	M
I	L	U	D	I	F	T	A
L	B	D	E	L	N	A	R
L	A	M	P	A	R	A	E
A	P	A	R	A	D	O	R
A	L	F	O	M	B	R	A

RECORDING

6. *Listen to Alonso, who is describing what his family is doing at their new house. Then match the person to the activity.*

Jaime   Clara   Jorge   Isabel

a. _____

b. _____

c. _____

d. _____

Your turn

You are completely refurnishing your apartment and discussing with a friend the furnishings you need to buy for each room. Complete the dialogue.

Amiga:	Bueno, ¿qué quieres comprar para la sala de estar?
Usted:	*Say you want some red curtains and a coffee table.*
Amiga:	¿Y para el comedor?
Usted:	*A new mirror.*
Amiga:	Y, ¿qué necesitas para los dormitorios?
Usted:	*Say that the children want a television set, and that you want a big wardrobe.*
Amiga:	¿Necesitas algo en el cuarto de baño?
Usted:	*Say you'd like some pretty tiles on the walls.*

7. *Imagine that you are asked what various members of your family or friends are doing at this moment. Using any of the verbs you have learned, describe aloud what you think at least five of them are doing and then write the descriptions down on paper.*

Example: Juan está tomando una cerveza.

Close-up

In this unit you have encountered the present continuous tense, which tells you what is happening, what you are doing. It works very similarly to the corresponding English ("to be" + the "-ing" ending of the verb). In Spanish you use the present tense of **estar** and the ending **-ando** with **-ar** verbs and **-iendo** with others.

hablar	**Estoy hablando** con mi amigo.	I'm talking to my friend.
comer	**Estamos comiendo**.	We're eating.
vivir	**Están viviendo** en Guadalajara.	They are living in Guadalajara.

La vida de todos los días

Talking about your daily routine

RECORDING

1. *Listen to Isabel, who is a secretary, describing her daily routine. Repeat what she says.*

RECORDING

2. *Answer the questions about Isabel's routine aloud, and then write them down.*

1. ¿A qué hora se despierta Isabel?
2. ¿Se ducha todas las mañanas?
3. ¿Qué hace antes de salir de casa?
4. ¿Adónde se va?
5. ¿A qué hora vuelve a casa a almorzar?
6. ¿Qué suele hacer después de almorzar?
7. ¿Qué hace cuando llega a casa por la tarde?
8. ¿A qué hora se acuesta su hija?
9. ¿Cuándo se duerme Isabel?
10. ¿Qué piensa de su familia?

RECORDING

3. *Listen to these three dialogues, then write in the box who does which of the actions mentioned. Note that some actions may be performed by more than one of the children.*

1.
2.
3.
4.
5.
6.
7.
8.

1. ¿Quién se despierta a las 8:45?
2. ¿Quién se ducha?
3. ¿Quién juega con sus compañeros?
4. ¿Quién almuerza en casa?
5. ¿Quién no vuelve a casa a almorzar?
6. ¿Quién juega en la calle?
7. ¿Quién se acuesta generalmente a las doce?
8. ¿Quién se acuesta a veces muy tarde?

W o r d B a n k

a las tres de la mañana	at 3 o'clock in the morning	irse	to go off, to leave
a veces	sometimes	lavarse	to wash
acostarse	to go to bed	levantarse	to get up
almorzar	to have lunch	nunca	never
alrededor de	around	pasar	to spend (time)
desayunar	to have breakfast	el patio	yard
describir	to describe	por la mañana	in the morning
despertarse	to wake up	el recreo	break, playtime
los dientes	teeth	la rutina diaria	daily routine
dormir	to sleep	salir de casa	to leave home
dormirse	to fall asleep	siempre	always
ducharse	to shower	soler	to be accustomed to
empezar	to begin	tarde	late
en seguida	at once	temprano	early
generalmente	generally, usually	venir	to come

RECORDING

4. *Listen to the employees of Jugofruta talking about their workday. Then repeat what Paco, Pili, and Rosa said. On the timesheet put the name of the employee next to the hours worked. The first one has been done for you.*

NOMBRE	HORA DE ENTRADA	HORA DE SALIDA	PAUSA PARA COMER		TOTAL HORAS
Paco	8:30	6 de la tarde	✔ sí una hora	no	8 ½ horas

5. *You are taking part in a survey about how people spend their day. Answer these questions aloud and then write them down.*

1. ¿A qué hora se despierta usted?

2. ¿Se levanta usted temprano o tarde?

3. Por la mañana, ¿se ducha, se baña o se lava?

4. ¿A qué hora se va al trabajo o al colegio?

5. ¿Dónde almuerza?

6. ¿A qué hora vuelve a casa?

7. ¿Juega usted al béisbol o a otro deporte?

8. ¿Cuándo se acuesta?

9. ¿Se duerme en seguida?

6. *Now you ask the questions, but addressing two people, one of whom answers on behalf of both. You need to change the forms of the questions and answers as follows:*

Example: ¿A qué hora se despiertan ustedes?
    Nos despertamos a las siete.

Your turn

You are in a conversation with someone and the topic is their daily routine. Ask the person you are speaking with, as many questions about his/her daily routine that come to mind.

Write a paragraph to a friend giving an account of your usual workday routine.

Pronunciation

*In this unit you were introduced to a number of stem-changing verbs, where the vowel sound changes from **o** to **ue** or **e** to **ie**. Practice saying the following forms of the verbs **volver** and **pensar**:*

volver: **vuelvo, vuelves, vuelve, volvemos, vuelven**
pensar: **pienso, piensas, piensa, pensamos, piensan**

This change from a single to two vowels—called a diphthong—does not only occur in verbs: it is found in many Spanish words. For example:

*With **ue**: **puerta, Puerto Rico, nueve, pues, bueno, escuela**.*
*With **ie**: **siete, diez, bien, siempre, tiempo**.*

Close up

Reflexive Verbs

In this unit you have encountered some verbs like **levantarse** (to get up), which are called "reflexive" verbs because you do the action to yourself. There are many more reflexive verbs in Spanish than in English. The "reflexive pronoun" **se**, as you see, is attached to the infinitive, but comes off and usually precedes the verb when it is in its conjugated form. You also adjust it depending on the person (myself, yourself, and so on). Here is the complete present tense of **levantarse.**

me levanto	**nos levantamos**
te levantas	**os levantáis**
se levanta	**se levantan**

Other reflexive verbs you have used are: **despertarse** (to wake up), **lavarse** (to wash), **ducharse** (to shower), **bañarse** (to take a bath), **irse** (to go away, to leave), **acostarse** (to go to bed), and **dormirse** (to fall asleep).

You have also encountered some verbs like **almorzar** (to have lunch), where the **o** before the ending changes to **ue**, and **despertarse** (to wake up), where the **e** changes to **ie**. These verbs are called "stem-changing" verbs. The changes occur in the singular and the third person plural forms.

almuerzo	**almorzamos**
almuerzas	**almorzáis**
almuerza	**almuerzan**

me despierto	**nos despertamos**
te despiertas	**os despertáis**
se despierta	**se despiertan**

In the verb **jugar** (to play), the **u** changes to **ue** in the same places.

juego	**jugamos**
juegas	**jugáis**
juega	**juegan**

Checkpoints

Can you...?   **Yes**   **No**

- *describe your house or apartment* . . . . ☐ . . . . . ☐
  Mi apartamento está en el quinto piso, tiene cinco habitaciones.

- *describe the main living room* . . . . ☐ . . . . . ☐
  Hay un sofá y tres butacas.

- *tell a real estate agent what sort of house/apartment
  you would like* . . . . ☐ . . . . . ☐
  Quiero una casa en las afueras.

- *say what accommodations you need* . . . . ☐ . . . . . ☐
  Como somos cinco en la familia, necesitamos una apartmento grande.

- *tell where you would or would not like to live* . . . . ☐ . . . . . ☐
  Tiene que estar cerca del metro.

- *say how your house/apartment is furnished* . . . . ☐ . . . . . ☐
  El cuarto de baño tiene azulejos hasta el techo.

- *say what furniture you need to buy and why* . . . . ☐ . . . . . ☐
  El espejo del vestíbulo es muy pequeño.

- *talk about your daily routine* . . . . ☐ . . . . . ☐
  Me despierto a las siete, me levanto...

- *talk about someone else's daily routine* . . . . ☐ . . . . . ☐
  Mi hija vuelve del colegio a las cinco.

- *say what you or someone else are doing* . . . . ☐ . . . . . ☐
  Jaime está jugando en la sala de estar.

Learning tips

*If you have trouble remembering the meaning of certain words use this following tip to help you. If you reverse the change we have talked about in the Pronunciation section, **ue** back to **o** and **ie** back to **e**, you can often arrive at the meaning of a word you don't know, by comparing it with an English or French word. Think of **Puerto** (Puerto Rico), and revert to **porto** which means "port," and similarly **puerta**, which means "door." Also, think of the French word for "door," which is **porte**. What about **huerto** (horticulture!), **muerto** (mortuary?), **tiempo** (things temporary or temporal). Respectively these words mean "garden," "dead," and "time."*

Do you want to learn more?

Read as much Spanish as you can find—newspapers, advertising brochures, and so on. Read a little at a time, and don't worry about bits you don't understand: concentrate on getting the gist of it. Once you know what the subject is, you'll be able to guess the meanings of many new words from their context. Keep a note of words that are the same or similar in Spanish and English—but look in your dictionary to check that the meaning is the same.

Unit 8 is about eating out in a restaurant. When you have completed this unit, you will know how to:

- say what you eat
- say what you like and don't like to eat
- make comparisons

¡Buen provecho!

Word Bank

¿Adónde?	Where to?	el cumpleaños	birthday
el aperitivo	appetizer	decidir	to decide
cariño	darling, dear	escoger	to choose
la carta	the "à la carte" menu	la idea	idea
		invitar	to invite
cenar	to have dinner	oye (fam.), oiga	listen
chino/a	Chinese	¡Siéntense!	Sit down! (plural)
la comida	food		
¿Cuál?	Which one?	típico/a	typical

¡Que aproveche!

Eating out

1.

Listen to Miguel and Pepa talking about how they are
going to celebrate Pepa's birthday. Then listen to Miguel
and Eduardo talking. Repeat what Miguel says in both
dialogues.

¿Por qué no invitamos...?	*Why don't we invite...?*
Buena idea.	*Good idea.*
Es igual.	*I don't mind.*
decidir adónde ir	*to decide where to go*
¡Cómo no!	*Of course!*
¿Podemos ir a otro sitio?	*Can we go somewhere else?*
De acuerdo.	*Agreed, OK.*
Tengo una mesa reservada.	*I've got a table reserved.*
Por aquí, por favor.	*This way, please.*
¿Quiere traer el menú?	*Would you bring the menu?*
Lo siento.	*I'm sorry.*

2.

Listen to both dialogues again. All these statements are
false. Can you correct them? Say the correct version aloud.
Then write it down on paper. Say the answer aloud.

1. Mañana es el cumpleaños de Miguel.

2. Pepa quiere invitar a sus amigos Eduardo y Teresa a cenar en
   su casa.

3. La Casona es un restaurante chino.

4. Pepa prefiere ir al restaurante chino.

5. Eduardo no quiere ir al restaurante con Miguel y Pepa.

6. A Eduardo y a Teresa les encanta la comida china.

7. Eduardo no quiere ir a La Casona.

8. Deciden cenar a las ocho.

3.

Miguel telephones the **La Casona** *restaurant. Listen to the dialogue. Then answer the following questions.*

1. ¿Para qué día reserva Miguel una mesa?

2. ¿Para cuántas personas?

3. ¿En qué parte del restaurante?

4. ¿Para qué hora?

5. ¿A nombre de quién?

4.

Listen to the following phone conversations as clients reserve tables. Imagine you are the receptionist of a restaurant taking customers' bookings. Write down their requests. To give you a start, one item is written in for each column.

	Personas	Hora	Mesa
1.	6		
2.			
3.		1:00	
4.			terraza
5.			

5. *The foursome go into the restaurant and are greeted by the waiter. What three questions does the waiter ask Miguel? What choices of dishes are there? What does the waiter recommend?*

6. *Listen to the following radio advertisements for different restaurants. Can you match up the speciality dish or occasion with the name of the restaurant?*

1. Casa Rodrigo   a. Cocina francesa

2. Las Rocas   b. Cocina mexicana

3. Casa Marisol   c. Aniversario/cumpleaños

4. Casa Luigi   d. Comida tradicional española

5. Restaurante Cancún   e. Paella

6. Restaurante París   f. Pizzas

Your turn

Record a message on your Mexican friends' answering machine, saying that it is your birthday tomorrow and you would like them to join you for dinner. Then as a backup, write a note to leave in their mailbox.

DidYouKnow?

In Spain, the two main meals are taken somewhat later than in most other countries. Lunch may be taken at 1:30 P.M., but many people do not eat until 2:30 or 3:00, especially in the south. Shops and offices are often closed from 1:30 to 4:30. Dinner is also taken correspondingly late. Few restaurants outside of tourist areas serve dinner before 9:00 P.M. In Latin America, meals tend to be later than in the U.S., but not as late as in Spain.

7. *Can you phone to book a table? Listen to the recording and try completing the conversation.*

Recepcionista:	Restaurante El Puchero. ¿Dígame?
Usted:	*Say you'd like to have dinner in the restaurant and you want to book a table.*
Recepcionista:	Sí, ¿para cuántas personas?
Usted:	*Six.*
Recepcionista:	¿Para cuándo?
Usted:	*For tomorrow.*
Recepcionista:	¿Para qué hora?
Usted:	*For 9:30.*
Recepcionista:	Muy bien.
Usted:	*Ask if you can have a table on the terrace.*
Recepcionista:	Sí, claro. Hasta mañana.

Close up

When you use two verbs together, as in "I want to invite" or "she prefers to go," the second verb is normally in the infinitive form:

Pepa **quiere invitar** a sus amigos Eduardo y Teresa.

Pepa wants to invite her friends Eduardo and Teresa.

Teresa no **puede decidir.**   *Teresa can't decide.*

Pensamos ir al restaurante chino.   *We're thinking of going to the Chinese restaurant.*

Sometimes you need the preposition **a** between the two verbs:

¿Por qué no los invitamos **a** cenar?

Why don't we invite them to have dinner?

Tengo hambre

Ordering a meal

Word Bank

a la plancha	*grilled*	morirse de hambre	*to be starving*
ambos/as	*both*	las natillas	*a kind of custard*
bien hecho/a	*well cooked*	la parrillada	*grilled or barbecued steak*
el bistec	*steak*		
el bonito	*tuna*	el pescado	*fish*
caliente	*hot, warm*	el plato	*dish, course (also a plate)*
el/la camarero/a	*waiter/waitress*		
la chuleta	*chop*	el plato principal	*main course*
el cocido	*a kind of stew*	el postre	*dessert*
la ensalada mixta	*mixed salad*	rico/a	*delicious, good (food)*
la ensaladilla rusa	*Russian salad*	la sangre	*blood*
los entremeses	*hors d'oeuvres*	sobre todo	*above all, especially*
estar de régimen	*to be on a diet*	la sopa	*soup*
el flan	*a kind of pudding*	la sopa de cebolla	*onion soup*
frito/a	*fried*	suficiente	*sufficient, enough*
el jarro	*jug, carafe*	la tarta helada	*ice-cream cake*
ligero/a	*light*	tener hambre	*to be hungry*
manchego/a	*from La Mancha*	traer	*to bring*
los melocotones en almíbar	*peaches in syrup*		

1. *Listen to the four diners discussing what they would like to eat. Repeat each character's part of the dialogue in the pauses.*

de primero/de segundo/de postre	for first course/second course/dessert
No me gusta ninguno de esos platos.	I don't like any of those dishes.
¿Qué recomienda(s)?	What do you recommend?
Yo prefiero carne.	I prefer meat.
Estoy de régimen.	I'm on a diet.
Yo me muero de hambre.	I'm starving.
Para empezar...	To start with...
Vamos a tomar...	We're going to have...
¿Cómo quiere su bistec?	How would you like your steak?
¡No puedo más!	I can't eat anymore!

2. *Listen again to the conversation and check (✓) the items in the menu that are mentioned.*

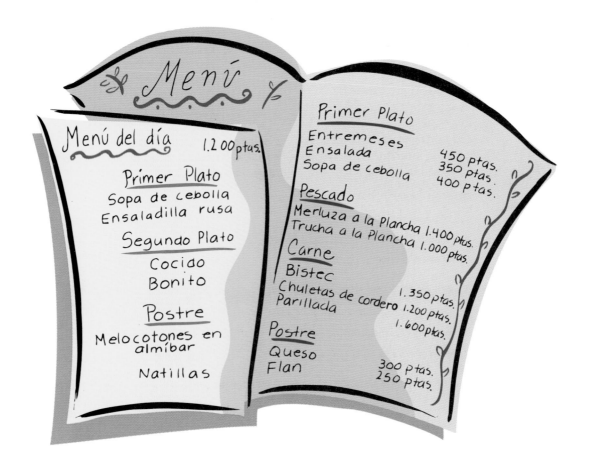

RECORDING

3.

Now listen again to Miguel ordering. Then play his part repeating what he says in the pauses.

RECORDING

4.

Miguel and his party have finished their main course, and the waiter returns to take away the dishes. He asks if they want dessert. What does each one choose for dessert?

Your turn

RECORDING

Listen again to the dialogue in Activity 3. Imagine you are the waiter taking the order, and write down everything that is ordered.

Close up

When dining out in a restaurant, you ask the waiter or waitress to bring you your food and beverage. The verb "to bring" is **traer**. Its present tense is irregular:

traigo	**traemos**
traes	**traéis**
trae	**traen**

The imperative/command form is **traiga**. This is just one of several common verbs whose command form is constructed by dropping the final **-o** from the first person singular, and replacing it with **-a**. Compare the verbs **digo/diga** and **oigo/oiga**.

There are several ways of asking the waiter/waitress to bring something:

¿Nos trae el menú, por favor?	Will you bring us the menu, please?
¿Quiere traerme un tenedor, por favor?	Will you bring me a fork, please?
Tráigame la cuenta, por favor.	Bring me the check, please.

Note the need for an accent when you add **me** or other object pronouns to the command.

In this lesson you have met a couple of negative expressions:

No me gusta **ninguno** de esos platos.	I don't like any of those dishes.
No tengo **nada** en la terraza.	I don't have anything on the terrace.

When a negative word is used after the verb it requires **no** before the verb.

¡Quédese con la vuelta!

Asking for the bill

Word Bank

al vapor	*steamed*	frío/a	*cold*
Aquí pone…	*Here it says…*	limpio/a	*clean*
la bandeja	*tray*	la propina	*tip*
la cuchara	*spoon*	el servicio	*service*
la cucharilla	*teaspoon*	sucio/a	*dirty*
el cuchillo	*knife*	la taza	*cup*
la cuenta	*bill, check*	el tenedor	*fork*
equivocado/a	*wrong*		

1.

Miguel and his party have enjoyed their meal, but before they have their coffee, the restaurant becomes very busy and things go wrong. First, listen to the whole conversation, then repeat and record in the pauses the complaint that each of the diners makes.

¿Puede cambiar...?	*Can you change...?*
Esta sopa no está caliente.	*This soup isn't hot.*
No tengo cuchillo.	*I don't have a knife.*
¿Me trae la cuenta, por favor?	*Would you bring me the bill/check, please?*
Esta cuenta está equivocada.	*This bill is wrong.*
¡Quédese con la vuelta!	*Keep the change!*
Lo siento.	*I'm sorry.*
Creo que sí.	*I think so.*
¡Ni hablar!	*No way! Not on your life!*

2.

Listen again to the conversation. Which one of these statements is true? Correct all the other false ones. There may be more than one way of doing it!

1. Una clienta tiene una cucharilla sucia.

2. La taza de un cliente está sucia.

3. Una clienta tiene leche fría.

4. Un cliente no tiene cucharilla.

5. Una clienta quiere café solo.

6. El café de un cliente está muy caliente.

3. *More complaints! It's a bad day in the restaurant*
Quetzalcoatl *in Tijuana. Listen to the customers*
complaining. Complete the following sentences.

1. El tenedor de la clienta está _____ .

2. La sopa no está _____ .

3. La señora quiere una chuleta de _____ y no de cerdo.

4. La clienta quiere una cuchara _____ .

5. El señor no tiene _____ .

4. *Miguel, Pepa, Eduardo, and Teresa are about to leave.*
Miguel asks the waiter for the check. What is the mistake
on it?

Your turn

Complete the dialogue by speaking during the pauses.

Usted:	*Call the waitress.*
Camarera:	En seguida.
Usted:	*Tell her you have no fork and that your plate is dirty.*
Camarera:	Perdone. Le traigo otros en seguida.
Usted:	*Ask her if she can also bring you another bottle of mineral water. This one is not cold.*
Camarera:	Por supuesto. Aquí tiene su tortilla.
Usted:	*Say you want an omelet with onions, not potatoes!*
Camarera:	Espere usted un momentito. Se la cambio en seguida.
Usted:	*Ask her if she could bring the check.*
Camarera:	Sí, un momentito.
Usted:	*Tell her the check is wrong. It is 90 pesos, not 95!*
Camarera:	Ah, sí, es verdad.
Usted:	*Ask her if the service is included.*
Camarera:	Sí, claro.
Usted:	*Say the service is very good, here's 100 pesos and keep the change!*
Camarera:	¡Oh, muchísimas gracias!

Pronunciation

*Before an **i** or an **e**, the letter **g** is pronounced in Spanish like the "h" in the English word "hill" but with greater friction. The sound is often referred to as the "hard **g**." Listen and repeat the following words:*

escoger, agente, régimen, generoso

*The letter **j** in Spanish has a sound similar to the hard **g**. Listen and repeat:*

jarro, bandeja, hijo

*Before **a**, **o**, or **u** the **g** in Spanish has a softer sound similar to the "g" in the English word "go." Listen and repeat:*

hago, tengo, segundo, traiga

Close up

You have already been introduced to the direct object pronouns. In this unit you will have seen several examples of the indirect object pronoun. This means "to me," "to you," and sometimes "for me," and so on.

¿**Me** trae el menú?	Will you bring (to) me the menu?
¿**Me** dan sus abrigos?	Will you give me your coats?
¿Puede traer**nos** el menú?	Can you bring (to) us the menu?
¿Puede cambiar**me** este tenedor?	Can you change this fork (for me)?
Se lo cambio en seguida.	I'll change it for you at once.

Checkpoints

Can you . . . ? Yes No

- *ask someone what they want to do to celebrate an occasion* . . . . . . ☐ . . . . . . ☐
  ¿Qué quieres hacer para celebrar tu cumpleaños?

- *make a suggestion, e.g., inviting someone to do something* . . . . ☐ . . . . . . ☐
  ¿Por qué no invitamos a . . . y a . . . ?

- *ask someone whether they would like to go out for a meal* . . . . ☐ . . . . . . ☐
  ¿Quieres ir a comer con nosotros?

- *suggest going somewhere else* . . . . ☐ . . . . . . ☐
  ¿Podemos ir a otro sitio?

- *ask someone if they agree* . . . . ☐ . . . . . . ☐
  ¿De acuerdo?

- *say you agree* . . . . ☐ . . . . . . ☐
  De acuerdo.

- *phone to reserve a table in a restaurant* . . . . ☐ . . . . . . ☐
  Quisiera reservar una mesa.

- *say for how many is the reservation* . . . . ☐ . . . . . . ☐
  Para seis.

- *say where you would like to sit* . . . . ☐ . . . . . . ☐
  Cerca de la ventana.

- *say that you have a table reserved in your name* . . . . ☐ . . . . . . ☐
  Tengo una mesa reservada a nombre de . . .

- *ask for the menu* . . . . ☐ . . . . . . ☐
  ¿Puede traer el menú, por favor?

- *ask the waiter/waitress what he/she recommends* . . . . ☐ . . . . . . ☐
  ¿Qué recomienda usted?

- *say what you prefer to eat* . . . . ☐ . . . . . . ☐
  Yo prefiero pescado.

- *order from the waiter/waitress* . . . . ☐ . . . . . . ☐
  Para mí, una merluza a la plancha.

- *say how you like your food cooked* . . . . ❑ . . . . . ❑
  Bien hecho/a.

- *say what you are going to have for each course* . . . . ❑ . . . . . ❑
  Para empezar, quiero una sopa.

- *make a complaint to the waiter* . . . . ❑ . . . . . ❑
  Este plato está sucio.

- *ask for the bill* . . . . ❑ . . . . . ❑
  ¿Me trae la cuenta, por favor?

- *tip the waiter* . . . . ❑ . . . . . ❑
  ¡Quédese con la vuelta!

Learning tips

Don't be afraid to use your knowledge of English to work out the meanings of Spanish words. There is a lot of shared vocabulary between the two languages, so why not use it? But do watch for "false friends": some words don't mean quite the same in Spanish and English. It's advisable to check in your dictionary if you're not sure.

Do you want to learn more?

Many Spanish-language housekeeping magazines have cooking recipes. If you can get hold of one, see how many of the ingredients you can identify. Also, some of the products you buy may have instructions or contents listed on the package in Spanish as well as English. Next time you're buying wine or beer, watch for Spanish wines, and study the labels to see how much information you can understand.

1 $Extra$!

¡Hola, buenos días!

1. *Juan is a very popular person and has many friends.*
    Listen to him introducing them. Look at the map and
    match the friends to the countries from which they come.
    Then circle the town where they live now.

    Carlos   Inés   Pedro   Marta   Oscar   Elena   José

2. Listen to various people asking the time and write the times down.

1. _____ 3. _____ 5. _____

2. _____ 4. _____ 6. _____

3. A radio program advertises a new free advertising newspaper called Primera Mano. Write down the details.

4. You have bought a copy of Primera Mano, but the address and details of the newspaper are different. Read the details of the newspaper. Then compare them to those given on the radio. What was wrong in the newspaper advertisement?

ASÍ SE PUBLICA
UN ANUNCIO GRATIS

 Por teléfono: Llamando al Tel. 555-63-28

 Personalmente: Viniendo a nuestras oficinas en Avda. Agustín López 19, Zaragoza 50044

 Por fax: Enviando su fax al 555-03-06

 Por correo: Enviando sus anuncios a EL ANUNCIO DE ARAGÓN Avda. Agustín López 19, Zaragoza 50060

5. *Read these ads for restaurants from* **Primera Mano.** *There are some details missing. Listen to the radio program and complete them.*

Calle _____ Gargallo, _____
Teléfono: _____

Restaurante argentino
Calle
_____
Victoria,
_____

Restaurante _____
Calle Zumalacárregui, _____
Teléfonos: _____ _____

_____ francés
_____ San Vicente de
Paul, _____
Teléfono: _____

Restaurante Chino _____
Especialidades _____
Calle _____ Ric, _____
Tel: _____

Platos
_____ españoles
Calle Don _____, 14
Teléfono: _____

2 *Extra* !

¿Qué quiere tomar?

RECORDING

1. *Your friend Carmen gives you the recipes of some dishes.
Put the ingredients with the corresponding dish.*

gazpacho	tortilla de patata	ensalada mixta

RECORDING

2. *You have some recipes from a magazine but your friend
Carlos explains to you how he prepares these dishes.
There are some differences. What are they?*

Sangría
vino tinto
agua
azúcar
melocotones

Paella
pollo
arroz
camarones
pescado
tomates
mejillones
salchichas
limón

Empanadillas
carne de res molida
harina
cebollas
huevos duros
aceitunas

3. *Listen to Luis, who works at a famous Spanish coffee shop. He talks about coffee and the different ways Spaniards drink it. Can you identify any of them in the picture?*

4. *Listen to the recording of Activity 3 again and answer the questions.*

Which type(s) of coffee?

1. *. . . has alcohol?* _____

2. *. . . is iced?* _____

3. *. . . has a lot of water?* _____

4. *. . . has ice cream?* _____

5. *. . . has ice?* _____

3 *Extra!*

Mi familia y mi trabajo

RECORDING

1. *Listen to Carmen interviewing Luis. He talks about himself and his family and their professions. Write what their relationship is to Luis and other details about his family.*

María	Pedro
Andrés	Bárbara
Alicia	Rafael
Patricia	Francisca

2. *These short articles about "Mujeres famosas" give information about Spanish and Latin American women who have excelled in their jobs. Read them and then complete the statements on page A7.*

    Concha García Campoy es de Terrasa, provincia de Barcelona. Nació el 28 de octubre de 1958. Tiene dos hermanos, sus padres son de Andalucía. Está casada por segunda vez con Lorenzo Díaz y tiene un hijo. Concha vive en Madrid y es una famosa periodista y presentadora de radio y televisión.

    Rosa Regàs es de Barcelona y tiene 64 años. Está divorciada y tiene cinco hijos. Su padre era político. Es escritora y publicó *Ginebra*, su primer libro, en 1988.

    Carmen Sarmiento es de Madrid y tiene 51 años. Es periodista y la primera mujer corresponsal de guerra en España. Trabaja para Televisión Española (TVE). Es feminista y hace programas y series sobre las mujeres. Es soltera y no tiene hijos.

Josefina Molina es de Córdoba y tiene cincuenta y nueve años. Es la primera mujer que obtuvo el título oficial de Directora Cinematográfica. Es productora y directora de cine y teatro. Está soltera y no tiene hijos.

Esperanza Magaz tiene setenta y dos años. Es cubana, de La Habana, pero vive en Venezuela con su familia. Está casada y tiene dos hijos y tres nietos. Es actriz, especialmente famosa por sus telenovelas: *Esmeralda, Pasionaria, Kassandra y Alejandra.*

Complete the following statements with the correct name(s), using the information in the articles.

1. _____ es la más joven (*the youngest*).

2. _____ es la mayor.

3. _____ y _____ están casadas.

4. _____ está divorciada.

5. _____ vive con su segundo marido.

6. _____ y _____ están solteras.

7. _____ es feminista.

8. _____ fue la primera mujer en su profesión en España.

9. _____ no trabaja en la televisión ni en la radio.

10. _____ tiene cinco hijos.

11. _____ y _____ no tienen hijos.

12. _____ es de Madrid.

13. _____ es de Barcelona.

14. _____ es de cerca de Barcelona.

15. _____ es de La Habana.

16. _____ tiene menos de sesenta años y más de cincuenta y cinco.

3. *Read the following newspaper ads: some are of people who want jobs and others are offering jobs. Then try to answer the questions below.*

Anuncios

Alemán, profesora nativa, da clases a todos los niveles. Llamar a Bárbara al 555-640, de 5 a 8 de la tarde.

Cursos de bailes de salón, cha- chá, tango, salsa. Baila con nosotros. Academia Salsa. Llama al 555-95-62 de 7 a 9 de la tarde.

Chica seria y responsable cuida niños durante el día. Edad dieci-nueve años. Llamar de 9 a 11 de la mañana a María José al 555-76-85.

Camarero. Se necesita para restau-rante en la provincia de Zaragoza, a veinte kilómetros. Con experiencia. Llamar a Pedro Rodríguez. Tel 555-456 de 1 a 5 de la tarde.

¿Quieres ganar dinero extra? Busco joven para trabajar en garaje por las tardes, como mecánico. No es necesaria experiencia. Llama al 555-56-80 de cinco a diez de la noche y pregunta por Juan.

¿Hablas idiomas? ¿Eres profesor/a titulado/a? Academia necesita profesores de inglés y francés. Experiencia mínima tres años. Llamar urgentemente al 555-930, por las tardes. Academia Pina.

1. *What telephone number must you call if you want language lessons?*

2. *Which job requires three years experience?*

3. *What number do you have to call if you want to take dance classes?*

4. *Who is nineteen?*

5. *Where do you have to call immediately?*

6. *Which job(s) require(s) no previous experience?*

RECORDING

4. *Read the job ad. Three people have applied for the job. Listen to the three candidates and decide which one should have the job. The interviewer is Sr. Ferrer.*

PROFESORES IDIOMAS
en Zaragoza
Se requiere
Formación: La adecuada para el puesto.
Experiencia: Con experiencia.
Edad: No importa.
Idiomas: Inglés y/o Francés.
Otros: Nativos. Titulados.
Se ofrece
Trabajo: Para un curso.

4 *Extra!*

¿Dónde está?

RECORDING

1. Listen to Sara, a young woman talking about schedules in Spain. Complete the chart.

	los bancos	**las tiendas**	**las farmacias**
abren			
cierran			

2. Read the brochure about guided visits to the town, Paseos para una mañana de domingo *and answer the questions:*

1. When does the visit take place?

2. How much does it cost?

3. When does it start?

4. How long is the visit?

5. Where can you get the tickets?

6. What days can you get the tickets?

7. What time can you get the tickets?

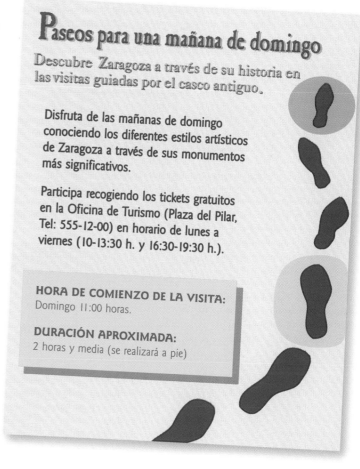

Paseos para una mañana de domingo

Descubre Zaragoza a través de su historia en las visitas guiadas por el casco antiguo.

Disfruta de las mañanas de domingo conociendo los diferentes estilos artísticos de Zaragoza a través de sus monumentos más significativos.

Participa recogiendo los tickets gratuitos en la Oficina de Turismo (Plaza del Pilar, Tel: 555-12-00) en horario de lunes a viernes (10-13:30 h. y 16:30-19:30 h.).

HORA DE COMIENZO DE LA VISITA:
Domingo 11:00 horas.

DURACIÓN APROXIMADA:
2 horas y media (se realizará a pie)

3. *You are preparing a guided tour of the center of your town for a group of Spanish visitors. Draw a map of the area and write an itinerary in Spanish.*

4. *Sra. Cano has moved to a new job and has to furnish her new office. Look at the blueprint of the office. Listen to Sra. Cano giving instructions to the moving people and identify each piece of furniture.*

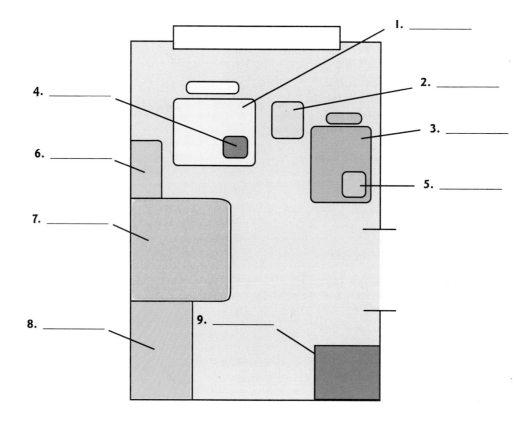

I. _____

2. _____

3. _____

4. _____

5. _____

6. _____

7. _____

8. _____

9. _____

5 Extra!

De compras

1. *Listen to a Mexican man talking about shops and markets in Mexico. He also talks about shopping habits. Answer the following questions.*

1. *What kinds of shops are there?*

2. *What are the markets like?*

3. *Which are the most famous markets in Mexico?*

4. *What items are sold in markets?*

5. *What traditional presents can the tourist buy?*

2. *Read the following ads of the Spanish magazine* Todo Anuncios. *Listen to five people talking about what they need and identify what each one buys.*

a. _____

Cámara y teleobjetivo Canon. Excelente calidad y condición. Llamar al 555-847

b. _____

Bicicleta de carreras, grande, como nueva. Llamar al teléfono 555756 por las mañanas, de diez a una.

c. _____

Tres pantalones de esquiar, en buenas condiciones, colores negro, rojo y azul. Tallas 36-38, sin estrenar. Teléfono: 555-01-36

d. _____

Vendo disfraz de princesa, de color amarillo, talla de 4 a 8 años. Llame al 555-79-00 de cinco a siete de la tarde.

e. _____

Guitarra española semi-nueva. Muy barata. Llamar por las noches de nueve a diez y media al 555-890.

3. Listen to the ads about some special offers and write the
corresponding prices.

6 *Extra* !

De viaje

1. *Listen to Juan talking about traffic and transport in*
    México, D.F. (Ciudad de México) *and answer the questions.*

    1. *What types of transportation does Juan mention?*

    2. *What is the traffic like?*

    3. *Cars with different color stickers are not allowed to drive on
       different days of the week. Can you tell the day for each
       color?*

    4. *What are the times when you are not allowed to drive?*

    5. *What happens on weekends?*

2. *Write a letter to Juan giving him the following
    information about your town: Name of town, size, a short
    description of the subway and/or bus system, and the
    price of the fare.*

3. *Juan is having problems with his car. Listen to the dialogue. Look at the car and study the words for the different parts. Check the parts of the car that need attention. Then say if the following statements are true or false.*

1. *Juan will have to bring his car back to the garage tomorrow.* _____

2. *The garage is very busy.* _____

3. *There is something wrong with the motor.* _____

4. *The car will be ready tomorrow at four.* _____

5. *It will cost 7.500 pesetas.* _____

4. *Two people are having problems with their cars. They call a mechanic. Listen to the telephone conversations and fill in a form for each one.*

	Persona 1	**Persona 2**
Problema		
Lugar		
Marca de coche		
Color		
Matrícula		

el pinchazo — *flat tire*
la rueda de repuesto — *spare tire*
la grúa — *tow truck*

7 *Extra!*

Tome posesión de su casa

RECORDING

1. Listen to this ad from a real estate agency. Check (✓) if the apartment in the ad has the following:

_____ lavadero	_____ cocina amueblada
_____ teléfono	_____ balcón
_____ jardín	_____ hidromasaje en la suite principal
_____ 4 dormitorios	_____ ascensor
_____ baños en suite	
_____ sala de recepción	

2. Conchita is writing a letter to her friend Elena, describing her new house. Read her letter and then write a paragraph describing the house or apartment in which you live.

Querida Elena:

Me encanta mi nueva casa. En la planta baja, el salón tiene una puerta-ventana que da a la terraza y al jardín. El salón y el comedor son muy espaciosos. La cocina está muy bien. Arriba hay cuatro dormitorios y un magnífico cuarto de baño con bañera, ducha y lavabo. El dormitorio principal tiene un balcón. En el desván vamos a hacer otra habitación donde los niños puedan jugar. Tienes que venir a visitarnos.

Un abrazo de tu amiga

Conchita

3. *What's Rodrigo doing? Write a sentence describing each illustration.*

1. Está despertándose.
2. _____
3. _____
4. _____
5. _____
6. _____
7. _____
8. _____

8 Extra!

¡Buen provecho!

RECORDING

1. *Listen to the recorded telephone reservations at a restaurant. Can you determine who is making them? Write the number of the corresponding conversation.*

_____ a. Una madre que prepara una fiesta para el cumpleaños de su hija de nueve años.

_____ b. Una familia que quiere celebrar el Año Nuevo.

_____ c. Dos hombres de negocios.

_____ d. Tres parejas jóvenes.

_____ e. Una pareja que celebra su aniversario de boda.

RECORDING

2. *Look at the menu displayed in this busy restaurant and listen to the customers as they give their orders to the waitress. Indicate the order in which the requests are taken.*

Restaurante Pancho Villa

Menú del día

- Entremeses
- Sopa de tomate
- Frijoles
- Fabada asturiana
- Huevos fritos
- Gambas a la plancha
- Pescado frito
- Pollo asado
- Chuleta de cerdo

3. *Match up the customers' complaints with the waiter's replies.*

_____ a. Sí, los plátanos están un poco pasados. ¿Le traigo una naranja o unas uvas?

_____ b. Un momentito, le pongo unas papas fritas.

_____ c. Vamos a ver... veinticuatro más cuarenta... sí, es verdad, usted tiene razón.

_____ d. Sí, señora. Voy a buscar otro en la nevera.

_____ e. Espere un momento, le traigo otro más hecho.

_____ f. Ah, sí, es verdad. Se lo cambio en seguida. De cordero, ¿no?

_____ g. Ah, sí. perdone. La trucha era para el señor, ¿no?

4. *In Spain, menus are often displayed in sections under headings, rather than as first or second courses. Can you put the following items under their correct headings?*

tortilla de jamón	merluza en salsa	lomo de vaca
fruta de la estación	huevos fritos	macedonia de frutas
consomé	gazpacho andaluz	pescado frito
solomillo de vaca	chuleta de cerdo	leche frita
tortilla de champiñones	sopa de lentejas	trucha molinera

Sopas	Huevos	Pescados	Carnes	Postres

5. *Read this ad about a restaurant that offers home delivery service. Complete the sentences below with the most suitable word or expression.*

CHINO VELOZ

"La verdadera comida china a domicilio" abrió sus puertas hace un año. Al mediodía, sus clientes suelen ser de oficinas. Por las noches son más variados, generalmente jóvenes. El pedido mínimo es de mil pesetas, y a partir de esa cifra, se venden menús para dos personas desde 1.200 ptas., todo en menos de 30 minutos. La carta dice que se trata de platos bajos en calorías, colesterol y sodio, respetando los principios de la comida tradicional china.

1. Para el almuerzo, los clientes son generalmente *jóvenes/chinos/gente que trabaja en oficinas.*

2. Para la cena, los clientes son *más grandes /más españoles/más variados.*

3. El precio mínimo es de *1.200 pesetas/1.000 pesetas /30 pesetas.*

4. Tiene que esperar *más de 30 minutos/30 minutos/menos de 30 minutos.*

5. La comida que sirven tiene *mucho colesterol/pocas calorías/poca relación con la comida china.*

Test 1:

Review of Units 1–3

1. *Match the words from the first column with those in the second column.*

   1. ¿De dónde   a. vive usted?

   2. Éste es   b. gusto.

   3. Buenos   c. es usted?

   4. ¿Qué hora   d. su número de teléfono?

   5. ¿Dónde   e. mi marido.

   6. ¿Cuál es   f. días.

   7. Mucho   g. es?

2. *Which is the odd word in the following groups?*

1. café	agua mineral	bocadillo	zumo de naranja	vino blanco
2. hermano	hijo	padre	amigo	tío
3. ocho	siete	tres	cuarenta y cinco	nueve
4. español	francés	Inglaterra	escocés	estadounidense
5. enfermera	mecánico	arquitecta	tienda	profesor
6. silla	computadora	oficina	mesa	escritorio

3. *Fill in the blanks using* **soy, es, tengo,** *or* **tiene.**

   1. Yo _____ profesor.

   2. Juan _____ un hermano.

   3. Mi dirección _____ calle Mayor, 50.

   4. Mi padre _____ sesenta y cinco años.

   5. Mi hermano no _____ hijos.

   6. Ésta _____ mi madre.

   7. Mi marido _____ profesor y yo _____ arquitecta.

   8. El hermano de Juan _____ médico y _____ treinta años.

   9. Yo _____ Marta. Ésta _____ Luisa, mi prima.

4. *Write the feminine of the following words.*

1. hermano
2. padre
3. enfermero
4. estudiante
5. inglés
6. estadounidense
7. tío

5. *Put these words in the correct order.*

1. café / un / quiero / leche / con
2. avenida / la / número / Madrid / vivo / once / en / de
3. ¿tu / tiene / años / cuántos / hermano?
4. ¿teléfono / es / de / cuál / número / su?
5. ¿fresa / quieres / helado / de / un?
6. un / soy / hospital / médico / trabajo / y / en

6. *Are these words masculine or feminine? Write* **el** *(masculine)* *or* **la** *(feminine) for each word.*

1. cerveza
2. helado
3. pastel
4. café
5. leche
6. ciudad
7. color
8. chocolate

7. *Supply the questions to these answers.*

1. Me llamo Luis.
2. Trabajo en un hospital
3. Soy médico.
4. Calle Valencia número siete.
5. El 555-36-75.
6. Soy española.
7. Tengo dos hijos.
8. No, soy soltero.

8. *Supply the answers to these questions.*

1. ¿Está usted casado? Sí, _____

2. ¿Tiene hijos? Sí, _____

3. ¿Es usted español? No, _____

4. ¿Es usted profesor? No, _____

5. ¿Es éste su marido? Sí, _____

6. ¿Quiere usted un café solo? No, _____

9. *Write the following times in numbers.*

1. Son las siete menos veinticinco.

2. Son las ocho y media.

3. Son las dos menos veinte.

4. Es la una y diez.

5. Son las doce y cinco.

6. Son las seis menos cuarto.

10. *How would you...*

1. ...*ask what time it is?*

2. ...*say where you are from?*

3. ...*say where you live?*

4. ...*order a red wine and some potato chips (crisps)?*

5. ...*ask someone if he/she speaks any languages?*

6. ...*ask the price of three postcards and stamps?*

Test 2:

Review of Units 4–6

1. *Complete the sentences using* **es** *or* **está**.

   1. Éste ＿＿＿＿ mi hermano.

   2. El hospital ＿＿＿＿ al lado del parque.

   3. ¿De dónde ＿＿＿＿ Luis?

   4. ¿Dónde ＿＿＿＿ el hotel París?

   5. ¿Cuánto ＿＿＿＿ el pan?

   6. La falda ＿＿＿＿ azul.

   7. El libro ＿＿＿＿ en la mesa.

2. *Separate the following words into the categories listed below.*

   Words:
   cerca, autobús, pantalones, fresa, esquina, gasolina, rojo, billete,
   patatas, metro, derecha, azul, manzana, vestido, taxi, lechuga,
   amarillo, izquierda, zanahoria, chaqueta, blanco

   Categories:
   Transport
   Clothes
   Directions
   Colors
   Fruit and vegetables

3. *Match the words from the first column with those in the second column.*

1. todo	a. la calle
2. un kilo de	b. jamón
3. un litro de	c. recto
4. un billete de	d. señoras
5. una docena de	e. huevos
6. al final de	f. leche
7. una raqueta de	g. ida y vuelta
8. los servicios de	h. tenis

4. *Supply the questions to these answers.*

1. La catedral está en la primera calle a la derecha.

2. Hoy es lunes.

3. No, está muy cerca.

4. Son mil doscientas pesetas.

5. No, no tenemos este abrigo en azul.

6. Sí, ¿a qué número de la avenida va?

5. *Where would you say the following Spanish phrases?*

1. ¿Está libre?

2. ¿Tiene esta camisa en verde?

3. ¿Dónde está la Oficina de Turismo?

4. Deme un kilo de tomates.

5. ¿De qué vía sale?

6. ¿Tengo que cambiar de línea?

6. *Give the answers to the following questions in complete sentences.*

Example: ¿El hotel está a la derecha? (no/izquierda)
No, el hotel está a la izquierda.

1. ¿De qué color quiere el abrigo? (azul)

2. ¿Qué talla usa? (40)

3. ¿Cómo quiere pagar? (tarjeta)

4. ¿Qué tipo de coche quiere alquilar? (pequeño/2 puertas)

5. ¿Dónde está el Museo de Arte Moderno? (tercera calle/derecha)

7. *Complete the following sentences by filling in the blanks.*

1. Siga esta calle _____ recto.

2. ¿_____ patatas quiere? Un kilo.

3. Continúe _____ el semáforo.

4. ¿Por favor, para _____ a la Oficina de Turismo?

5. ¿Puede _____ el coche ahora?

6. ¿A qué hora _____ el tren a Valladolid?

8. *Fill in the blanks using* **me gusta** *or* **me gustan.**

1. _____ _____ las patatas fritas.

2. _____ _____ el salmón.

3. _____ _____ la leche.

4. _____ _____ los tomates.

5. _____ _____ la camisa a rayas verdes.

6. _____ _____ los pantalones cortos.

7. _____ _____ los helados.

9. *Write the following in numbers.*

1. quinientos setenta y cinco

2. ochocientos veintiocho

3. trescientos cincuenta y tres

4. novecientos dieciséis

5. setecientos sesenta y seis

6. ciento treinta y nueve

10. *How would you...*

1. *...ask for a bus ticket in Mexico?*

2. *...ask the salesperson if he/she has this shirt in blue?*

3. *...ask the salesperson if you can just look around?*

4. *...ask for a full tank of unleaded gasoline?*

5. *...tell the salesperson you'll take the trousers and the tee-shirt?*

7. *How would you...*

1. *... ask a hotel receptionist if there are any vacancies?*

2. *... ask where you can park your car?*

3. *... say you want to reserve a table for two for 8 P.M. tomorrow evening?*

4. *... ask for the check in a restaurant?*

5. *... say your spoon is dirty and ask the waiter for a clean one?*

6. *... say what kind of apartment you want to a real estate agent?*

8. *Put this conversation in the correct order.*

_____ Lo siento. Esta noche ya tenemos una cena de cumpleaños en la terraza.

_____ Para las ocho y media, ¿de acuerdo?

_____ Estupendo, entonces, ¡hasta esta noche!

_____ Cuatro personas... ¿Dónde quieren sentarse?

_____ En este caso, cerca de la ventana.

_____ Sí, de acuerdo. Un momento, ¿tienen menú del día?

_____ Quisiera reservar una mesa para esta noche para cuatro.

_____ Cuatro personas, cerca de la ventana. ¿Para qué hora?

_____ ¿Tienen una mesa en la terraza?

_____ Claro. El menú del día ofrece tres platos con bebida a 1.800 pesetas, pero también pueden escoger de la carta.

Answer Key

Unit 1

Pages 4–5

1. Valencia; Calle Cervantes, número seis

2. 1. Nombre: Marta; Apellidos: García; Dirección: Avenida Goya, número ocho, Madrid. 2. Nombre: Daniel; Apellidos: Vega; Dirección: Plaza de la Constitución, número dos, Sevilla

3. llamo; soy; Vivo; Mi; es; número; es

4. *Answers will vary.*

6. 1. 555-31-58; 2. 555-93-02; 3. 555-12-14

Pages 6–12

1. 1. c; 2. d; 3. a; 4. b / a. *false*; b. *false*; c. *true*; d. *true*; e. *true*; f. *true*

3. Inglaterra-inglés/inglesa-Londres; Francia-francés / francesa-París; Estados Unidos-estadounidense-Nueva York; México-mexicano / a-Ciudad de México; Australia-australiano / a-Sydney; Colombia-colombiano / a-Bogotá; Argentina-argentino / a-Buenos Aires; Escocia-escocés / escocesa-Glasgow; Gales-galés / galesa-Cardiff; Irlanda-irlandés / irlandesa-Dublín

4. 1. María; 2. Pedro; 3. María y Pedro. *The second diary has the correct address and phone number.*

5. 19:30: las siete y media de la tarde; 9:25: las nueve y veinticinco de la mañana;16:35: las cinco menos veinticinco de la tarde; 10:45: las once menos cuarto de la mañana; 12:40: la una menos veinte de la tarde; 6:55: las siete menos cinco de la mañana; 13:25: la una y veinticinco de la tarde; 8:15: las ocho y cuarto de la mañana.

6. Son las siete menos cuarto; Son las seis y veinticinco; Son las nueve menos veinte; Son las cuatro y cuarto; Es la una y media; Son las once y veinte; Son las cinco y cinco; Es la una menos veinticinco; Son las tres y diez.

7. Hora: 11 de la mañana; Día: 12; Dirección: calle San Pedro, número 13; Ciudad: Cartagena

Your turn: Encantado(a). Soy (*your name*). / ¿Cómo está, Felipe? / Bien, gracias. ¿De dónde es usted, Sra. Latorre? / Soy (*your nationality*). Soy de (*place of origin*). / Vivo en (*place where you live*).

Pages 13–15

1. Baquero

3. Señora; nombre; usted; dirección; calle; avenida; gracias; quince; vivo; soy; somos

4. 1. Nombre: Carlos Herrero; Hora: 5:30 (cinco y media); Número de teléfono: 555-97-32; 2. Nombre: Teresa Yuste; Hora 10:30 (diez y media); Número de teléfono: 555-40-12; 3. Nombre: Luis Zamora; Hora: 3:15 (tres y cuarto); Número de teléfono: 555-34-89; 4. Nombre: María Chueca; 1:00 (la una en punto); Número de teléfono: 555-90-83

Your turn: Hola. ¿Es usted la Sra. Falcón? *or* ¿La Sra. Falcón? / Soy (*your name*). ¿Cómo está usted? / (*spell your name*) / Mi dirección es (*your address*). / (*spell address*)

Unit 2

Pages 20–23

1. Un café con leche y un pastel.

2. 1. cerveza; 2. helado; 3. refresco; 4. vaso de vino; 5. cortado; 6. hamburguesa; 7. aceitunas; 8. té con limón

6. pastel, 115 ptas.; vino, 70 ptas.; bocadillo, 120 ptas.; agua mineral, 35 ptas.

Your turn: Un café solo, una cerveza y un agua mineral, por favor. / Sí, un sándwich, un pastel y unas patatas fritas. / No, nada más. ¿Cuánto es?

Pages 24–26

1. Sr. Medina: un agua mineral con gas; Sra. Medina: un vino blanco

2. *Sample answer:* ¿Quiere agua? ¿Quiere patatas fritas? ¿Quiere un whisky?; ¿Prefiere vino blanco o tinto? ¿Prefiere té o café? ¿Prefiere café solo o con leche?

3. quiere; Qué prefiere; un vino; Prefiere vino; Prefiero vino

4. una cerveza y una enchilada

Your turn: ¿Qué es esto?; Prefiero una cerveza.; ¿Qué es una enchilada?; Sí, gracias.; ¿Qué son las papas?; No, no gracias.

Pages 27–31

1. 1. fresa, 60 ptas.; 2. limón, 75 ptas.; 3. chocolate, 65 ptas.; 4. naranja, 57 ptas.; 5. vainilla, 85 ptas.; 6. café, 50 ptas.

2. 1. Un helado de fresa, por favor. ¿Cuánto es?
2. Quiero un helado de limón. ¿Cuánto es?
3. Póngame un helado de chocolate. ¿Cuánto es?
4. Deme un helado de naranja, por favor. 5. ¿Puede darme un helado de vainilla? ¿Cuánto es? 6. Quiero un helado de café. ¿Cuánto es?

3. kiosco: revista, mapa, plano, postales; librería: diccionario; papelería: bolígrafo, postales; estanco: sello, postales; tienda de fotografía: rollo

4. 2. rollo en color, 175 ptas.; 3. diccionario de español, 180 ptas.; 4. un mapa de la región, un plano de Madrid y un bolígrafo, 195 ptas.; sello de 50 ptas., dos postales, 80 ptas.

5. 1. Por favor, ¿cuánto cuesta esta revista? / Deme esta revista y este periódico. Gracias. 2. Quiero un rollo en color. / ¿Cuánto es? 3. ¿Puede darme un diccionario de español? / Sí, ¿Cuánto cuesta?

6. sello; Algo; Tiene postales; Deme; postales; sello; postales; es

Your turn: Quiero un rollo y dos postales. / Sí, también quiero un plano.

Unit 3

Pages 36–38

1. Luis, el marido (*husband*); Teresa, la hija mayor de 13 años (*eldest daughter*); Jorge, el hijo mediano de 10 años (*son*); María, la pequeña de 8 años (*the youngest daughter*); El Señor Fernández es soltero. (*He is single.*)

2. *In order:* Sara, Luis, Juanjo, Luis, Sara, Rafael, Juanjo, Teresa, Luis, Rafael, Luis, Rafael

Your turn: Answers will vary.

Pages 39–42

1. Nombre: Isabel Córdoba; Nacionalidad: mexicana; Trabajo actual: secretaria; Lugar de trabajo: una compañía de importación y exportación en Ciudad de México; Idiomas: inglés y francés, un poco de alemán y comprende el japonés.

2. 1. Rosa; 2. Francisco; 3. Gloria; 4. Julio; 5. Alicia; 6. Joaquín

3. Francisco es mecánico. Trabaja en un taller. / Rosa es enfermera. Trabaja en un hospital. / Gloria es médica. Trabaja en una clínica. / Julio es arquitecto. Actualmente no trabaja. Está desempleado. / Joaquín es dependiente. Trabaja en una tienda de deportes. / Alicia es profesora. Trabaja en un instituto/una escuela secundaria.

Your turn: Anwers will vary.

Pages 43–47

1. Quieren hablar con el señor Contreras. (*They want speak to Sr. Contreras.*); Son de Estados Unidos. (*They are from the U.S.*); A las once de la mañana. (*At 11 A.M.*)

2. ¿Hablan español? (*If they speak Spanish.*); ¿Dónde estudian? (*Where they study.*)

3. *Answers will vary.*

4. escritorio (*desk*); silla (*chair*); computadora (*computer*); teléfono (*phone*); mesa (*table*), estantes (*shelves*); archivos (*file cabinets*)

Your turn: Answers will vary.

Unit 4

Pages 52–54

1. *Directions to Hotel Sol:* Siga todo recto hasta el semáforo, tome la tercera calle a mano izquierda. El hotel está al final de la calle.

2. El restaurante Faustino: Tome la primera a la izquierda. Al final de la calle, doble a la izquierda. La estación: Siga todo recto y tome la segunda calle a mano derecha. La oficina de turismo: Suba esta calle todo recto y tome la segunda calle a mano derecha.

3. 1. La catedral: Siga recto. Tome la primera a la derecha. 2. El museo: Siga recto y tome la segunda calle a la izquierda. El museo está a mano derecha. 3. La Plaza Mayor: Siga recto hasta el semáforo.

Your turn: Answers will vary.

Pages 55–59

1. 5, las Ruinas del Templo; 6, el Centro Comercial; 1, el Museo de Arte Moderno; 4, un banco; 9, la Biblioteca General; 2, la plaza de la Constitución; 3, un cine; 10, correos; 7, una farmacia; 8, la Cafetería Las Vegas

2. Museo de Arte Moderno: Abierto de 10 a 8 de la tarde. Todos los días excepto: lunes / la biblioteca: Abierta: 9 de la mañana a 8 de la tarde. Todos los días excepto: domingos y lunes / las Ruinas del Templo: De 11 de la mañana a 5 de la tarde. Días: martes, miércoles, viernes, sábado y domingo / autobuses: De 5 de la mañana a 1 de la madrugada. Días: todos los día / el metro: De 6 de la mañana a doce de la noche. Días: todos los días, excepto los viernes, y sábado cierra hasta la 1 de la madrugada.

3. *Sample answer:* ¿Dónde está El Palacio Real? ¿Por dónde se va al Monasterio? ¿Cómo se va a la piscina? ¿Cómo llego al cine Cervantes? ¿Qué horario tiene el Palacio Real? ¿A qué hora abre/cierra el Monasterio?

4. Lunes/mañana: el Museo de Cerámica está cerrado los lunes. Por la tarde, el Museo de Escultura abre a las 18 horas.; Martes/tarde: El Museo Arqueológico está cerrado por la tarde. Cierra a las dos de la tarde.; Miércoles/mañana: El Museo Provincial abre a las 10.; Jueves/tarde: El Museo de Goya cierra a las seis y media.; Domingo/tarde: El Museo Provincial de Bellas Artes cierra a las dos de la tarde.

Your turn: Answers will vary.

Pages 60–63

1. *Places mentioned*: sala de Velázquez; sala de Zurbarán; sala de Murillo; sala de Goya; sala de Bayeu

2. *Places mentioned*: 1. la cafetería; 2. los servicios de caballeros; 3. la salida; 4. la tienda de regalos

3. 1. Por favor, señor, ¿puede decirme dónde está la cafetería? / Muchas gracias. 2. Perdone, ¿dónde están los servicios? 3. Siga recto por este pasillo, después doble a la izquierda. Allí está la salida. 4. Está al lado de la cafetería, a la derecha.

Your turn: Sample answer: Siga este pasillo a la derecha todo recto y al fondo doble a la izquierda. La tienda de regalos es la tercera puerta a mano derecha. / La cafetería está al lado izquierdo de la tienda de regalos. / Siga este pasillo a la derecha y al fondo está la salida. / Siga este pasillo a la izquierda y al fondo doble a la derecha. Siga el pasillo y al fondo están los servicios de señoras. / Los servicios de caballeros están al lado de los servicios de señoras.

Unit 5

Pages 68–71

1. azúcar, un kilo; sal, medio kilo; leche, un litro; aceite, medio litro; queso, un cuarto; jamón, cien gramos; sardinas, una lata; mermelada, un bote; galletas, una caja grande; patatas fritas, un paquete; huevos, una docena.

2. a. 2; b. 3; c. 1; d. 4; *Chart*: 1. pescadería: salmón (medio kilo), truchas (dos), merluza (un kilo y medio); 2. panadería: pan (dos barras), panecillos (cinco); 3. carnicería: cordero (un kilo), salchichas (dos kilos); 4. frutería y verdulería: manzanas (dos kilos), zanahorias (un kilo), lechuga (una), pepinos (tres)

3. Deme azúcar, por favor. / Un kilo. / También quiero leche. / Un litro. / Sí, quiero una docena de huevos. / Nada más, gracias. ¿Cuánto es?

Your turn: Answers will vary.

Pages 72–75

1. camisa blanca, talla cuarenta, 750 pesos; pantalones cortos rojos, talla cuarenta, 280 pesos. Total: 1.030 pesos

2. *Customer 2 doesn't buy anything. Chart:* Cliente1, un suéter. Color: marrón. Talla: 44. Precio: 500 pesos; Cliente 1, unos pantalones vaqueros. Color: azul oscuro. Talla: 44; Cliente 3, un abrigo. Color: negro. Talla: 38. Precio: 1.570 pesos; Cliente 3, una camiseta. Color: amarilla. Talla: 40. Precio: 766 pesos.

3. 1. d; 2. c; 3. b; 4. a

Your turn: Quiero ese suéter, en negro.; Me gusta mucho.; la treinta y ocho; Me gusta, pero necesito una talla más grande. ¿Cuánto cuesta?; ¿Puedo pagar con tarjeta de crédito?

Pages 76–79

1. 1. Artículo: gafas de sol. Tamaño: más pequeñas. Color: verdes. ¿Lo/La compra? Sí. Precio: 2.000 pesos.; 2. Artículo: un bolso. Tamaño: más grande. Color: rojo. ¿Lo/La compra? No. Precio: 5.000 pesos. 3. Artículo: unos zapatos. Tamaño: 42. Color: azul. ¿Lo/La compra? Sí. Precio: 1.700 pesos. 4. Artículo: una raqueta de tenis. Tamaño: mediano. ¿Lo/La compra? Sí. Precio: 2.500 pesos. 5. Artículo: bronceadores y toallas de baño. ¿Lo/La compra? No dice.

2. sandalias de señora, 1.999 pesos; ventiladores, 5.695 pesos; bolsos, 700 pesos; anillo de diamantes, 10.000 pesos; crema bronceadora, 595 pesos; plancha de viaje, 2.800 pesos; secador, 1.250 pesos; gorras, 900 pesos; perfumes, 3.000 pesos.

3. Quiero una raqueta de tenis. / Pues, no sé. Es para mi hija de once años. / ¿Tiene una un poco más grande? / Sí, ésta me gusta. ¿Cuánto cuesta? / ¿Está rebajada?

4. *Answers will vary.*

Your turn: 1. Unas gafas de sol pequeñas de color azul oscuro que cuestan setecientas ptas. 2. Unos zapatos negros nuevos número cuarenta que cuestan tres mil pesos. 3. Un bolso marrón mediano de piel que cuesta cuatro mil ptas. 4. Una raqueta blanca, grande y muy cara.

Unit 6

Pages 84–87

1. 1. *To Plaza Mayor;* 2. *No, it's not.* 3. *Bus 30;* 4. *Right there, to the right.* 5. *300 pesos;* 6. *If he could tell him where he has to get off.*

2. a. 1; b. 3; c. 2

   1. *false*; 2. *true*; 3. *false*: Está en dirección sur. 4. *false*. No dice. 5. *false*: Va al número 225 de la avenida de Los Insurgentes; 6. *true*; 7. *false*: Cuesta veinte pesos. 8. *false*: Diez pesos; 9. *false*: Vale para diez viajes. 10. *false*: Puede viajar por toda la ciudad.

3. ¿Está libre? / ¿Puede llevarme a la avenida Valencia, por favor? / Al número ciento setenta y cinco. ¿Sabe (usted) dónde está? / ¿Cuánto le debo? / Tenga. ¿Me da un recibo, por favor?

4. *Answers will vary.*

Your turn: 1. ¿Cuánto cuesta un abono, por favor? / ¿Para cuántos viajes sirve? / ¿Puedo viajar a todas partes? / Deme un abono, por favor. 2. Por favor, ¿dónde está la Plaza García? / ¿Puedo ir a pie? / ¿Tengo que tomar el autobús? / ¿Sabe usted dónde está la parada? / ¿Cuánto cuesta el billete?

Pages 88–91

1. *Details that are not correct:* precio 5.500 ptas.; fuma; *It should say:* precio 6.500 ptas. no fumador

2. 1. *before, at the train station;* 2. *before, at the airport;* 3. *during, in the train;* 4. *before, at the train and bus station*

3. 1. Tren: Talgo; Procedencia: Madrid; Destino: Barcelona; Hora de salida: 18:20; Vía: 2 / 2. Tren: Rápido; Procedencia: Madrid; Hora de llegada: 11:45 (de la mañana); Vía: 3; Información: Media hora de retraso / 3. Tren: Tranvía; Procedencia: Madrid; Hora de llegada: 10:15. Vía: 5 / 4. Tren: Intercity; Procedencia: Barcelona; Hora de llegada: 11:45; Vía: 6 / 5. Tren: Tranvía; Destino: Villanueva; Hora de salida: 5:00; Información: Cancelado.

Your turn: Sample answer: 1. Quiero ir a Toledo. ¿Hay un tren para Toledo esta tarde? ¿A qué hora sale? ¿A qué hora llega a Toledo? 2. Quiero ir a Segovia. ¿Qué trenes hay el domingo? ¿Qué tipo de trenes son? ¿A qué hora salen? 3. Quisiera hacer una reserva para un billete de ida y vuelta a Barcelona, para (el miércoles cinco de junio) con salida (a las cuatro de la tarde) y llegada (a las diez de la noche). Quiero volver (el diez de junio a las once de la mañana). ¿Cuánto cuesta un billete de segunda clase en la sección de no-fumadores?

Pages 92–95

1. Coche: Renault de cinco puertas. / Para tres días. / Un carnet de conducir y un pasaporte. /¿Hay que echar gasolina?

2. 1. Seat LX1.0, de tres puertas (5.000 ptas. por día); 2. Citroen, de cinco puertas (11.000 ptas. por día)

3. Quiero un coche grande, de cinco puertas. / Sí. ¿Cuánto cuesta? / ¿Está incluida la gasolina en el precio? / Bien, quiero el Citroen. ¿Tiene gasolina ahora? / ¿Puedo devolver el coche en el aeropuerto?

4. a. 1; b. 3; c. 2

Unit 7

Pages 98–103

2. 1. *false*: Vive en una casa. 2. *true* 3. *false*: Comen en el comedor. 4. *false*: Hay un comedor entre la cocina y la sala de estar. 5. *false*: Tiene tres dormitorios, el grande y otros dos para los hijos. 6. *true* 7. *true* 8. *false*: El garaje es bastante grande, es para dos coches.

3. 1. sala de estar, cocina, cuarto de baño y dos dormitorios; 2. sala de estar, cocina, comedor, cuatro dormitorios, terraza; 3. sala de estar, cocina, comedor, dos cuartos de baño, tres dormitorios, jardín

4. a. 3; b. 1; c. 2

5. *Answers will vary.*

Your turn: Answers will vary.

Pages 104–107

2. la sala de estar: las butacas, la lámpara, la alfombra; el sofá, la mesita de café, las cortinas / el comedor: el aparador, la mesa grande, las sillas / el estudio: el escritorio / los dormitorios: las camas, el televisor / el cuarto de baño: los azulejos

3. 1. *Furniture on sale:* butacas, sofás, lámparas, alfombras, camas, armarios, mesas, sillas; 50% (cincuenta por ciento) de descuento; hasta el día diez. 2. En la sala de estar: un sofá para tres personas, tres butacas, persianas y cortinas verdes, tres lámparas, suelo de baldosas, un televisor con una gran pantalla y un vídeo; en la terraza: mesa y sillas; en el dormitorio: una cama grande, un tocador, dos armarios grandes; en el cuarto de baño: ducha con toallas de lujo.
  3. *Furniture they need:* un sofá, dos butacas, cortinas nuevas, una mesa, una cama, un espejo, un televisor. *Antonio has second thoughts because it's a lot of furniture. It's expensive.*

4. *Answers will vary.*

5. *Word jumble:* butaca, cortina, sofá, lámpara, aparador, alfombra, mesita, cama

6. a. Jaime; b. Isabel; c. Jorge; d. Clara

Your turn: Quiero unas cortinas rojas y una mesita de café. / Un espejo nuevo. / Los niños quieren un televisor y yo quiero un armario grande. / Quiero unos azulejos bonitos en las paredes.

7. *Answers will vary.*

Pages 108–110

2. 1. Se despierta a las ocho. 2. Se ducha si tiene tiempo. 3. Desayuna. 4. Se va a la oficina. 5. Vuelve a la una y media. 6. Suele arreglar un poco la casa. 7. Juega un poco con su hija pequeña. 8. Su hija se acuesta a las ocho. 9. Nunca se duerme antes de las doce. 10. Piensa que es una familia bastante normal.

3. 1. Ángela; 2. Miguelito, Pablo; 3. Pablo; 4. Pablo; 5. Ángela; 6. Pablo; 7. Miguelito; 8. Ángela

4. Nombre: Pili; Hora de entrada: 9:00; Hora de salida: 1:00; Total horas: 4 / Nombre: Rosa; Hora de entrada: 3 de la tarde; Hora de salida: siete de la tarde; Total horas: 4 / Nombre: Luis; Hora de entrada: 10 de la noche; Hora de salida: 6 de la mañana; Total horas: 8

5. / 6. *Answers will vary.*

Your turn: Answers will vary.

Unit 8

Pages 116–119

2. 1. Mañana es el cumpleaños de Pepa. 2. Quieren ir a un restaurante. 3. La Casona es un restaurante típico español. 4. A Pepa le da igual. 5. Eduardo sí quiere ir. 6. A Eduardo y a Teresa no les gusta la comida china. 7. Eduardo sí quiere ir a La Casona. 8. Deciden cenar a las nueve.

3. 1. Para mañana. 2. Para cuatro. 3. Cerca de la ventana. 4. Para las nueve. 5. Miguel Carmona.

4. 1. Personas: 6; Hora: 8:30 (ocho y media); Mesa: en la terraza / 2. Personas: 2; Hora: 9:15 (nueve y cuarto) Mesa: cerca de la ventana / 3. Personas: 5; Hora: 1:00 (la una); Mesa: en el centro del restaurante / 4. Personas: 12; Hora: 11 (once de la noche); Mesa: en la terraza / 5. Personas: 3; Hora: 1:30 (una y media); Mesa: no importa dónde

5. 1. *Questions:* ¿Su nombre, por favor? ¿Me dan los abrigos? ¿Quieren tomar un aperitivo? 2. *Choices:* menú del día (tres platos con botella de vino incluida) o escoger de la carta. 3. *The waiter recommends:* el pescado.

6. 1. c; 2. e; 3. d; 4. f; 5. b; 6. a

Your turn: Answers will vary.

7. Quiero reservar una mesa para cenar. / Para seis. / Para mañana. / A las nueve y media. / ¿Tienen una mesa en la terraza?

Pages 120–122

2. *Items mentioned:* Menú del día: sopa de cebolla, ensaladilla rusa, cocido, bonito, melocotones en almíbar, natillas; Menú: merluza a la plancha, chuleta de cordero, trucha a la plancha, parrillada, entremeses, sopa, ensalada.

4. Un flan, una tarta helada y queso manchego.

Your turn: una merluza a la plancha, trucha a la plancha, un bistec (bien hecho), chuletas de cordero, una sopa de cebolla, tres ensaladas mixtas (con el plato principal), un jarro del vino tinto de la casa y un jarro de vino blanco.

Pages 123–127

2. 1. *false:* Una clienta no tiene cucharilla. 2. *true* 3. *false:* Un cliente tiene café frío. / Una clienta tiene café con leche y quiere café solo. 4. *false:* La esposa de un cliente no tiene cucharilla. 5. *true* 6. *false:* El café de un cliente está frío.

3. 1. sucio; 2. muy caliente; 3. cordero; 4. limpia; 5. cuchillo

4. *Mistake on the check:* Pone "cuatro ensaladas" y son tres ensaladas y una sopa.

Your turn: ¡Camarera! / No tengo tenedor y mi plato está sucio. / ¿Me trae otra botella de agua mineral? Ésta no está fría. / Quiero una tortilla con cebolla, no de patata. / ¿Me trae la cuenta, por favor? / La cuenta está equivocada. Son noventa pesos, no noventa y cinco. / ¿Está incluido el servicio? / El servicio es muy bueno. Tenga cien pesos y quédese con la vuelta.

Extra 1

1. Carlos: *comes from:* México; *lives in:* Acapulco / Inés, *comes from:* Argentina; *lives in:* Buenos Aires / Pedro, *comes from:* Perú; *lives in:* Lima / Marta, *comes from:* Guatemala; *lives in:* Antigua / Oscar, *comes from:* Chile; *lives in:* Santiago / Elena, *comes from:* Colombia; *lives in:* Medellín / José, *comes from:* Venezuela; *lives in:* Caracas

2. 1. Son las once menos veinticinco. 2. Son las tres menos veinte. 3. Las doce y media. 4. Son las siete y cuarto. 5. Es la una y diez. 6. Son las cuatro menos cuarto.

3. Dirección: Calle Ciscar Agosto, número diecinueve. 50044 Zaragoza. Número de teléfono: 555-48-29. Número de fax: 555-07-63.

4. *Phone number should be:* 555-48-29; *Street should be:* Avenida Ciscar; *Fax number should be:* 555-07-63

5. Restaurante Japonés: Pablo; número siete; 555-03-84 / Restaurante Mangrullo: Francisco; número diez / Restaurante Carpanta: griego; siete y nueve; 555-628 y 555-479 / Restaurante La Brasserie: Restaurante; calle; número cinco; 555-899 / Restaurante Chino: Feliz; chinas; Pedro María; número veintidós; 555-419 / Restaurante Tío Faustino: típicos; Teobaldo; 555-952

Extra 2

1. gazpacho: tomates, pimientos, pepino, cebolla, ajo, pan, aceite de oliva, vinagre y sal; tortilla de patata: aceite de oliva, patatas, cebolla y huevos; ensalada mixta: lechuga, tomate, olivas o aceitunas verdes y negras, cebolla, sal, aceite y vinagre. También puedes añadir pepino, atún, pimiento y huevo duro.

2. *Differences:* Sangría: refresco de limón, fruta, naranja y limón; Paella: verduras; Empanadilla: tomate, ajo, aceite de oliva, sal y atún.

3. 1. café con hielo; 2. blanco y negro; 3. café solo; 4. café largo

4. 1. carajillo; 2. café helado; 3. café largo; 4. blanco y negro; 5. café con hielo

Extra 3

1. María, su mujer (39 años, enfermera); Andrés, su hijo (13 años); Alicia, su hija (9 años); Patricia, su hermana pequeña (26 años, soltera, estudiante de medicina); Pedro, su hermano (35 años, casado, profesor de literatura española en la universidad, vive en Alemania); Bárbara, (alemana) su cuñada, la mujer de Pedro; Rafael, su padre (70 años, jubilado); Francisca, su madre (69 años)

2. 1. Concha García Campoy; 2. Esperanza Magaz; 3. Esperanza Magaz / Concha García Campoy; 4. Rosa Regás; 5. Concha García Campoy; 6. Carmen Sarmiento y Josefina Molina; 7. Carmen Sarmiento; 8. Josefina Molina; 9. Rosa Regás; 10. Rosa Regás; 11. Carmen Sarmiento y Josefina Molina; 12. Carmen Sarmiento; 13. Rosa Regás; 14. Concha García Campoy; 15. Esperanza Magaz; 16. Josefina Molina

3. 1. 555-640; 2. Profesor/a de idiomas; 3. 555-95-62; 4. La chica que cuida niños; 5. Anuncio para profesor/a de idiomas. 6. El trabajo en el garaje.

4. *Best candidate:* María Serrano

Extra 4

1. los bancos: abren 9:00; cierran 2:00, sábados: cierran 1:00, domingos: cerrado / las tiendas: de lunes a sábado, abren por la mañana 9:30 o 10:00, cierran 1:00 o 1:30, por la tarde abren 4:30 o 5:00, cierran 8:00 / las farmacias: abren 9:30 a 20:00; domingo cerradas, pero hay farmacia de guardia.

2. 1. Los domingos por la mañana. 2. Es gratis. (*It's free.*) 3. A las 11:00 de la mañana. 4. Dos horas y media. 5. En la Oficina de Turismo. 6. De lunes a viernes. 7. De diez de la mañana a una y media, y de cuatro y media a siete y media.

3. *Answers will vary.*

4. 1. la mesa grande; 2. la computadora; 3. la mesa pequeña (de la secretaria); 4. el teléfono rojo; 5. el teléfono verde; 6. los estantes; 7. el sofá; 8. el archivo verde; 9. el archivo rojo

Extra 5

1. 1. Todo tipo de tiendas: tiendas de artesanías, de ropa, fruterías, tortillerías, joyerías. También hay muchos mercados. 2. Los mercados son muy populares y están siempre llenos de gente. (*very popular and crowded*) 3. Los mercados más famosos son La Ciudadela, el mercado de San Juan y La Merced. 4. Se vende de todo: artesanías, joyas, ropa, fruta, juguetes, artículos de cuero, etc. 5. Pueden comprar cosas de barro, cuero o un instrumento musical.

2. a. 4; b. 3; c. 5; d. 1; e. 2

3. 1. queso: 139 pesos; 2. magdalenas: 225 pesos; 3. leche: 39 pesos; 4. yogurt: 200 pesos.; 5. huevos: 345 pesos/la docena; 6. pañales: 899 pesos

Extra 6

1. 1. *Cars, buses and subways.* 2. *Very heavy.* 3. *All the cars that have a yellow sticker are not allowed to drive on Monday; pink, Tuesday; red, Wednesday; green, Thursday; blue, Friday. 4. Between 6 A.M. and 10 P.M.5. All cars can be driven during the weekend.*

2. *Answers will vary.*

3. *Parts of the car that need attention:* el motor (*engine*); *Statements: 1. false: Tomorrow is not possible, he leaves it there. 2. true; 3. true; 4. false: It will be ready this afternoon at four. 5. true*

4. Persona I. Problema: un pinchazo; Lugar: carretera de Valencia, kilómetro 43; Marca de coche: Citroen; Color: gris; Matrícula: M-298179-TZ / Persona 2. Problema: un accidente; Lugar: autopista de Madrid, kilómetro 80; Marca de coche: Renault; Color: rojo; Matrícula: B-674384-GS

Extra 7

I. *They have everything except:* jardín *and* hidromasaje en la suite principal

3. 2. Está lavándose la cara. 3. Se está duchando. 4. Está desayunando. 5. Está trabajando. 6. Está jugando con su hijo. 7. Está viendo la televisión. 8. Está leyendo un libro en la cama.

Extra 8

I. a. 5; b. 4; c. 2; d. I; e. 3

2. I. gambas a la plancha; 2. sopa de tomate; 3. pescado frito; 4. chuleta de cerdo; 5. fabada asturiana; 6. frijoles; 7. entremeses; 8. huevos fritos; 9. pollo asado;

3. a. 4; b. 3; c. 7; d. 2; e. I; f. 5; g. 6

4. *Chart:* Sopas: consomé, gazpacho andaluz, sopa de lentejas / Huevos: tortilla de jamón, tortilla de champiñones, huevos fritos / Pescados: merluza en salsa, pescado frito, trucha molinera / Carnes: chuleta de cerdo, lomo de vaca, solomillo de vaca / Postres: macedonia de frutas, leche frita, fruta de la estación

5. I. gente que trabaja en oficinas; 2. más variados; 3. I.000 ptas.; 4. menos de 30 minutos; 5. pocas calorías

Test 1

I. I. c; 2. e; 3. f; 4. g; 5. a; 6. d; 7. b

2. I. bocadillo; 2. amigo; 3. cuarenta y cinco; 4. Inglaterra; 5. tienda; 6. oficina

3. I. soy; 2. tiene; 3. es; 4. tiene; 5. tiene; 6. es; 7. es, soy; 8. es, tiene; 9. soy, es

4. I. hermana; 2. madre; 3. enfermera; 4. estudiante; 5. inglesa; 6. estadounidense; 7. tía

5. I. Quiero un café con leche. 2. Vivo en la avenida de Madrid, número once. 3. ¿Cuántos años tiene tu hermano? 4. ¿Cuál es su número de teléfono? 5. ¿Quieres un helado de fresa? 6. Soy médico y trabajo en un hospital.

6. I. la cerveza; 2. el helado; 3. el pastel; 4. el café; 5. la leche; 6. la ciudad; 7. el color; 8. el chocolate

7. I. ¿Cómo te llamas/se llama usted? 2. ¿Dónde trabaja(s)? 3. ¿Qué hace(s)? / ¿Cuál es tu/su trabajo? 4. ¿Dónde vive(s)? / ¿Cuál es tu/su dirección? 5. ¿Cuál es tu/su número de teléfono? 6. ¿De dónde eres/es usted? 7. ¿Cuántos hijos tiene(s)? 8. ¿Está/Es usted casado?

8. *Sample answers:* I. estoy casado(a) 2. tengo *tres* hijos. 3. soy alemán. 4. soy médico. 5. éste es Luis. 6. quiero un café con leche.

9. I. 6:35; 2. 8:30; 3. I:40; 4. I:10; 5. 12:05; 6. 5:45

10. I. ¿Qué hora es? 2. Soy de (*country*). 3. Vivo en (*address*). 4. Quiero un vaso de vino tinto y unas patatas fritas, por favor. 5. ¿Habla(s) idiomas? 6. ¿Cuánto cuestan estas tres postales y sellos?

Test 2

I. I. es; 2. está; 3. es; 4. está; 5. es; 6. es; 7. está

2. *Transport:* autobús, gasolina, billete, metro, taxi; *Clothes:* pantalones, vestido, chaqueta; *Directions:* cerca, esquina, derecha, izquierda; *Colors:* rojo, azul, amarillo, blanco; *Fruits and vegetables:* fresa, patatas, manzana, lechuga, zanahoria

3. I. c; 2. b; 3. f; 4. g; 5. e; 6. a; 7. h; 8. d

4. I. ¿Dónde está la catedral? 2. ¿Qué día es hoy? 3. ¿Está lejos? 4. ¿Cuánto es? 5. ¿Tienen este abrigo en azul? 6. ¿Sabe dónde está la avenida Mayor?

5. I. En un taxi. 2 En una tienda de ropa. 3. En una ciudad que no conoce. 4. En un supermercado. 5. En una estación de tren. 6. En el metro.

6. I. Quiero el abrigo en azul. 2. Uso la talla 40. 3. Quiero pagar con tarjeta de crédito. 4. Quiero alquilar un coche pequeño con dos puertas. 5.El Museo de Arte Moderno está en la tercera calle a la derecha.

7. I. todo; 2. Cuántas; 3. hasta; 4. llegar; 5. arreglar; 6. sale

8. I. Me gustan; 2. Me gusta; 3. Me gusta; 4. Me gustan; 5. Me gusta; 6. Me gustan; 7. Me gustan

9. I. 575; 2. 828; 3. 353; 4. 916; 5. 766; 6. 139

10. I. Un billete de autobús, por favor. 2. ¿Tiene esta camisa en azul? 3. Sólo voy a mirar. 4. Lleno de gasolina sin plomo, por favor. 5. Me llevo los pantalones y la camiseta.

Test 3

1. 1. cortina; 2. ducha; 3. invito; 4. cuenta; 5. desván

2. 1. ¿A qué hora se despierta usted? 2. ¿Cuántos dormitorios tiene su piso? 3. ¿Puede traer el menú, por favor? 4. Por favor, ¿puede cambiarme esta cuchara? 5. ¿Podemos ir a otro sitio?

3. 1. ¿Cuántos dormitorios tiene Ud./tienes? 2. ¿A qué hora se acuesta Ud./te acuestas (generalmente)? 3. ¿Tiene(n) una mesa para cuatro personas? 4. ¿Qué (me) recomienda? 5. ¿Qué desean/quieren?

4. 1. se; 2. se; 3. te; 4. me; 5. nos

5. 1. almorzamos; 2. vuelve; 3. me despierto; 4. se acuestan; 5. se sientan

6. 1. está hablando; 2. estamos comiendo; 3. están tomando; 4. está jugando; Estás haciendo, estás viendo; 5. están ayudando

7. 1. ¿Tiene(n) habitaciones libres? 2. ¿Dónde puedo/se puede aparcar el coche? 3. Quisiera reservar una mesa para dos para las ocho de la tarde, mañana. 4. ¿Me trae la cuenta, por favor? 5. Esta cuchara está sucia. ¿Puede cambiarla, por favor? 6. *Sample answers:* Quisiera un piso con dos/tres/etc. dormitorios, sala de estar, comedor, cuarto de baño.

8. 4, 7, 10, 2, 5, 8, 1, 6, 3, 9

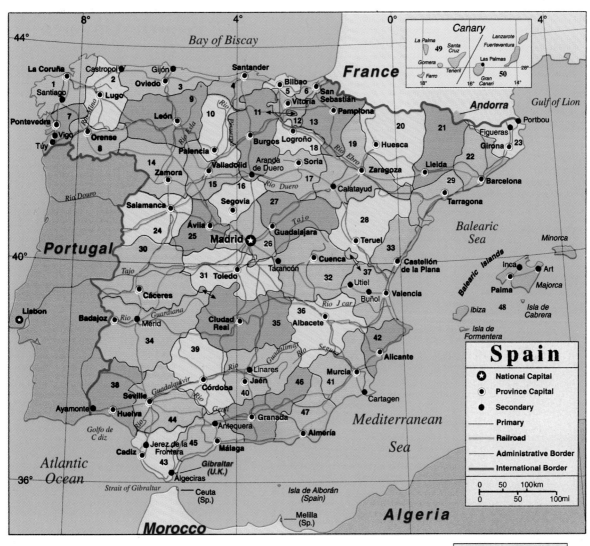

Spain

- ⊛ National Capital
- ◉ Province Capital
- ● Secondary
- Primary
- Railroad
- Administrative Border
- International Border

0   50   100km
0   50   100mi

Provinces of Spain

1.La Coruña	26.Madrid
2.Lugo	27.Guadalajara
3.Ovieda	28.Teruel
4.Santander	29.Tarragona
5.Vizcaya	30.Cáceres
6.Guipúzcoa	31.Toledo
7.Pontevedra	32.Cuenca
8.Orense	33.Castellón
9.León	34.Badajoz
10.Palencia	35.Ciudad Real
11.Burgos	36.Albacete
12.Alava	37.Valencia
13.Navarra	38.Huelva
14.Zamora	39.Córdoba
15.Valladolid	40.Jaén
16.Segovia	41.Murcia
17.Soria	42.Alicante
18.Logroño	43.Cádiz
19.Zaragoza	44.Sevilla
20.Huesca	45.Málaga
21.Lérida	46.Granada
22.Barcelona	47.Almeria
23.Gerona	48.Baleares
24.Salamanca	49.Santa Cruz
25.Ávila	de Tenerife
	50.Las Palmas

South America

Barranquilla
Maracaibo
✪ Caracas
Venezuela
San
Cristóba
Ciudad
Guayana
Georgetown
Paramaribo
Guyana
French Guiana
(France)
Medellin
Suriname
★ Cayenne
Isla de Malpelo
(Colombia)
✪ Bogotá
Boa Vista
Cali
Colombia
Mitú
Negro
Macapá

Atlantic
Ocean

✪ Quito
Ecuador
Guayaquil
Fonte Boa
Manaus
Amazon
Santarém
Belém
São Luís
Fortalez
Iquitos
Piura
Maranon
Ucuyali
Amazon
Xingu
Tocantins
Teresina
Natal
Trujill
Rio
Branco
Pôrto Velho
B r a z i l
Recife
S o Francisco
Huánuco
Peru
✪ Lima
Pôrto
Aracaju
Cuzco
Bolivia
Salvador
Ica
Lago
Titicaca
Trinida
✪ La Paz
Cochabamba
Santa
Cruz
Cuiabá
Brasília ✪
Arequipa
Aric
Sucre
Goiânia
Belo
Horizonte
Victóri
20°

South
Pacific
Ocean

Tropic of Capricorn
Antofagasta
Paraguay
Paran
Rio de Janeiro
São Paulo
Isla San Felix
(Chile)
Isla San Ambrosio
(Chile)
San Miguel
de Tucumán
Asunción ✪
Curitib
Chile
Resistencia
Florianópoli
Juan Fernández
Islands (Chile)
Paran
Pôrto
Córdoba
Salto
South
Atlantic
Ocean
Valparaíso
Mendoza
Rosari
Uruguay
✪ Santiago
Buenos Aires
✪ Montevideo
Concepción
Argentina
Mar del Plata
Bahia Blanca
Puerto
San Carlos
de
40°

Comodoro Rivadavia

0   500 kilometers
0   nautical miles   500

Strait of
Magellan
🦐★ Stanley
Falkland Islands
(administered by th U.K.,
claimed by Argentina)
Punta Arenas
Ushuaia
80°
C a p e
H o r n
60°
40°
South Georgia
(Falkland Islands)
20°

Central America

United States of America

Gulf of Mexico

Mexico

Cuba

Jamaica

Haiti   Dominican Republic

Belize

Caribbean Sea

Guatemala   Honduras

El Salvador   Nicaragua

Costa Rica   Panama

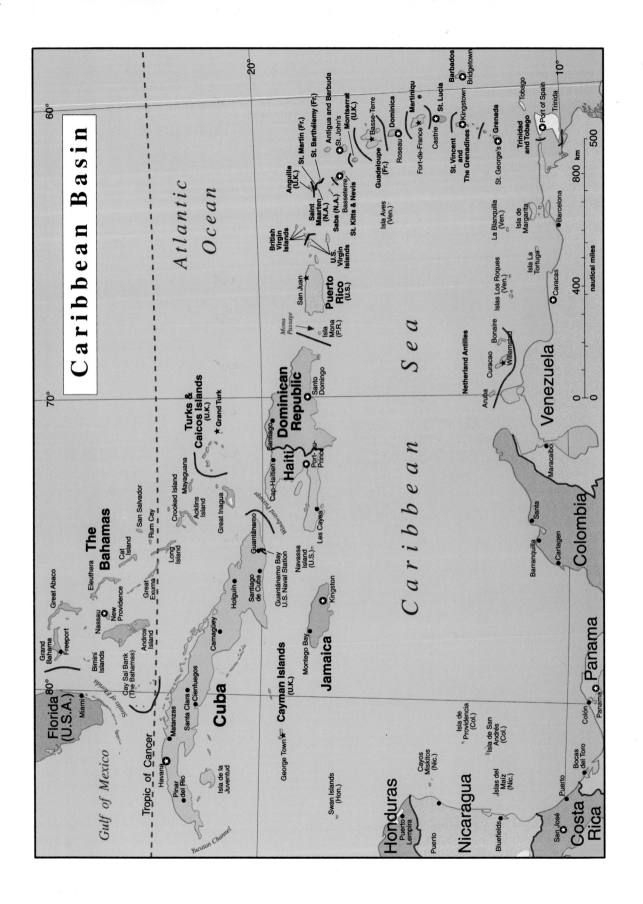

Caribbean Basin